Barnens Svenska Sångbok

BARNENS SVENSKA SÅNG BOK

Urval och kommentarer

ANDERS PALM

JOHAN STENSTRÖM

ALBERT BONNIERS FÖRLAG

www.albertbonniersforlag se

Attioåttonde - etthundra andra tusendet

© Urval, förord och kommentarer
Anders Palm och Johan Stenström 1999
Formgivning Werner Schmidt
Layout och Desktop Karin Stangertz
Notsättning Christer Palm
Omslagsbild och vinjetter efter
originalmålningar av Ann-Marie Jönsson
Produktlon Akademiförlaget Corona AB
Malmö
Tryckning och bindning
Delo-Tiskarna
genom Korotan-Ljubljana, Slovenia 2004
ISBN 91-0-057050-8

Innehåll

Förord

Barnens svenska sångbok är en sångbok för alla barn. Barnens bästa sånger har vi sökt i en tradition som sträcker sig över mer än hundra år, på väg in i ett nytt årtusende. Här finns de gamla välkända barnvisorna, liksom psalmerna och danslekarna från förr. Men här finns också vår egen tids favoriter som nya röster sjunger, de senaste låtarna och lekarna i lite poppigare rytmer.

Barnens svenska sångbok har gjorts för alla sammanhang, där sången förenar vuxna med barn – och barn med varandra. Det är sångboken till föräldrar som vill sjunga därhemma med sina minsta. Det är sångboken till småttingarna på dagis och i förskola. Det är sångboken för skolbarnens musiktimmar på låg- och mellanstadiet.

Sångboken innehåller 211 sånger fördelade på sex avsnitt. I *Sång för småfolk* står barnvisornas klassiker, både Alice Tegnérs snälla barnsång och Lennart Hellsings underfundiga ramsvisor; och – naturligtvis – Astrid Lindgrens bästa från böcker och filmer med Pippi och Emil, Ronja och Madicken. I *Året runt* följer visorna årstidens växlingar. *Djur och natur* tar med barnen ut i verkligheten – och in i sagans värld. Om flora och fauna lär man medan man sjunger; okända djur blir kända, när man möter dem som Bamse, Klas Klättermus och Ville Valross.

I *Sång med lek och dans* är sången både något som man sjunger och något som man gör. Till varje sång hör en beskrivning av hur man rör sig eller dansar, medan man sjunger tillsammans, från småbarnens rörelsesånger som Imse Vimse Spindeln till de traditionella danslekarna som vi lärt oss kring julgran eller midsommarstång. *Hemma i världen* öppnar Sverige mot världen. Sången blir till möte med andra barn och med andra människor, här hemma och ute i världen, från Mitt eget land, som är barnens fantasiland utan gränser, till Du gamla du fria, som numera sjungs unisont av svenska barn från många länder.

Till sist, *Gladsång och poplåt* – sånger med tempo, rytm och gott humör. Här samlas popstjärnornas och barnartisternas hitlåtar från de senaste decennierna. Först fanns de på platta och på scen, i radio och i TV med artister som Ted Gärdestad, Magnus Uggla, Gyllene Tider och Electric Banana Band. Nu finns de som barnens egna sånger. Den som vill veta mer om de enskilda sångerna och barnvisetraditionen finner uppgifter i de kommentarer och referenser som tillsammans med registren avslutar sångboken.

Barnens svenska sångbok är en bok från oss vuxna till alla barn och barnbarn. De finaste sångerna på svenska vill vi ska finnas till hands överallt där ungarnas sånglust finns, där barn är tillsammans, där generationer kan mötas – sjungande.

Anders Palm och Johan Stenström

Sånger för småfolk

Det gåtfulla folket

TEXT Beppe Wolgers
MUSIK Olle Adolphson
♩ 251

Barn är ett folk och dom bor i ett främ-man-de land, det-ta land är ett regn och en pöl. Ö - ver den pö-len går poj-kar-nas bå-tar i-bland, och dom gli-der så fint ut-an köl. Där går en flic-ka, som sam-lar på ste-nar, hon har en mil-jon. Kung-en av Träd sit-ter stil-la bland gre-nar i Träd - kung-ens tron. Där går en poj-ke som skrat-tar åt snö.

Där går en flic - ka som gjor - de en ö
av fem - ton kud - dar. Där går en
poj - ke och all - ting blir glass som han snud -
dar. Al - la är barn, och dom till - hör det gåt - ful - la
fol - ket.
ket.

2
Barn är ett folk och dom bor i ett främmande
   land,
detta land är en äng och en vind.
Där finner kanske en pojke ett nytt Samarkand
och far bort på en svängande grind.

Där går en flicka som sjunger om kottar.
Själv äger hon två.
Där vid ett plank står en pojke och klottrar –
att jorden är blå.

Där – går en pojke som blev indian.
Där – där går Kungen av Skugga runt stan
och skuggar bovar.
Där – fann en flicka en festlig grimas
som hon provar.
Alla är barn, och dom tillhör
det gåtfulla folket.

3

Barn är ett folk och dom bor i ett främmande land,
detta land är en gård och ett skjul.
Där sker det farliga tågöverfallet ibland
vackra kvällar när månen är gul.

Där går en pojke och gissar på bilar,
själv vinner han jämt.
Fåglarnas sånger i olika stilar
är magiska skämt.

Där – blir en värdelös sak till en skatt.
Där – där blir sängar till fartyg en natt
och går till månen.
Där – finns det riken som ingen av oss
tar ifrån dem.
Alla är barn, och dom tillhör
det gåtfulla folket.

Mors lilla Olle

TEXT Alice Tegnér
MUSIK Alice Tegnér
♩ 251

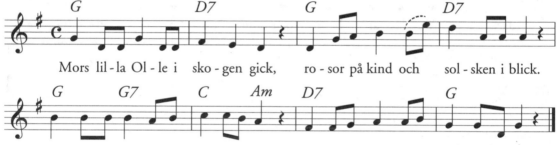

Mors lil-la Ol-le i sko-gen gick, ro-sor på kind och sol-sken i blick.
Läp-par-na små u-tav bär ä-ro blå. "Ba-ra jag slapp att så en-sam här gå!"

2
Brummelibrum, vem lufsar där!
Buskarna knaka. En hund visst det är.
Lurvig är pälsen. Men Olle blir glad:
»Å, en kamrat, det var bra, se goddag!»

3
Klappar så björnen med händer små,
räcker fram korgen: »Se där, smaka på!»
Nalle han slukar mest allt vad där är:
»Hör du, jag tror, att du tycker om bär!»

4
Mor fick nu se dem, gav till ett skri.
Björnen sprang bort, nu är leken förbi!
»Å, varför skrämde du undan min vän?
Mor lilla, bed honom komma igen!»

Tula hem och tula vall

Text Alice Tegnér
Musik Trad
♩ 251

Tu - la hem och tu - la vall, tu - la långt åt mos - sen.
Kål fick jag när jag kom hem, kål fick jag i på - sen.

Mjöl - ken var båd' gul och blå, os - ten såg jag li - te' å',

smö - ret smak - te jag ald - rig. *Eko*

Vart ska du gå min lilla flicka?

Text Trad
Musik Alice Tegnér
♩ 251

"Vart ska du gå, min lil - la flic - ka?" "Jo, jag ska gå och häm - ta dric - ka."

"Åt vem då, du lil - la tär - na?" "Åt vår get, som he - ter Stjär - na."

"Får jag föl - ja med? Får jag föl - ja med?" "Ja, det får du gär - na."

"Får jag föl - ja med? Får jag föl - ja med?" "Ja, det får du gär - na."

Tummeliten

TEXT Alice Tegnér
MUSIK Alice Tegnér
♩ 251

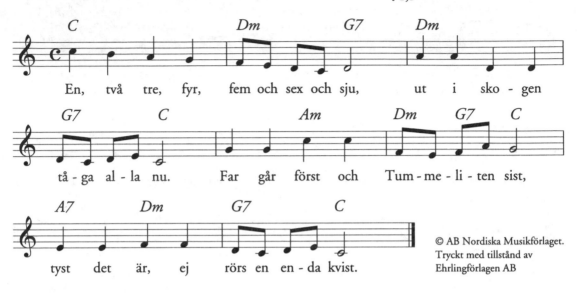

En, två tre, fyr, fem och sex och sju, ut i sko - gen

tå - ga al - la nu. Far går först och Tum - me - li - ten sist,

tyst det är, ej rörs en en - da kvist.

Sockerbagaren

TEXT Alice Tegnér
MUSIK Alice Tegnér
♩ 252

En soc - ker - ba - ga - re här bor i sta - den, han ba - kar

ka - kor mest he - la da - gen. Han ba - kar sto - ra, han ba - kar

små, han ba - kar någ - ra med soc - ker på.

2
Och i hans fönster hänga julgranssaker
och hästar, grisar och pepparkakor.
Och är du snäller, så kan du få,
men är du stygger, så får du gå!

Blinka lilla stjärna där

TEXT Betty Ehrenborg-Posse
MUSIK Trad
♩ 252

Blin - ka lil - la stjär - na där, hur jag und - rar vad du är.

Fjär - ran loc - kar du min syn lik en di - a - mant i skyn.

Blin - ka lil - la stjär - na där, hur jag und - rar vad du är.

2
När den sköna sol gått ner
strax du kommer fram och ler,
börjar klar din stilla gång
glimmar, glimmar natten lång.
Blinka, lilla stjärna där!
Hur jag undrar vad du är.

3
Vandraren på nattlig stig,
för ditt ljus, han älskar dig.
Han ej hade sett att gå
om du icke glimmat så.
Blinka, blinka stjärna där!
Hur jag undrar vad du är.

4
Ofta du med blick så fin
tittar genom min gardin.
Sluter ögat ej förrän
solen visar sig igen.
Blinka, blinka stjärna där!
Hur jag undrar vad du är.

Lilla Ludde

♩ 252

Här kom - mer lil - la Lud - de, hå - hå, ja - ja,

bä - ran - de på en kud - de, hå - hå, ja - ja!

Här kom-mer Lud-des mam-ma, hå - hå, ja - ja,
bä - ran-de på det - sam - ma, hå - hå, ja - ja!

Vem kan segla

♩ 252

Vem kan seg - la för - u - tan vind, vem kan ro u-tan å - ror,
vem kan skil - jas från vän - nen sin u - tan att fäl - la tå - rar?

2
Jag kan segla förutan vind,
jag kan ro utan åror,
men ej skiljas från vännen min
utan att fälla tårar.

Lunka på

Lun - ka på, lun - ka på! Vi har lång - an väg att gå.

Hopp, mor An - ni - ka! Hopp, mor An - ni - ka! Hopp, min lil - la An - ni - ka!

Hopp, mor An - ni - ka! Hopp, mor An - ni - ka! Hopp, min lil - la An - ni - ka!

Tycker du om mej

Tyc - ker du om mej? Ja, det gör jag!

Är det rik - tigt sä - kert? Ja, det är det! Får jag kom - ma till dej?

Ja, det får du! Hopp sud - de rud - de rud - de rul - lan lej.

2

Köper du ringen?
Ja, det gör jag!
Sätter den på fingern?
Ja, det gör jag!
Är det riktigt säkert?
Ja, det är det!
Hopp sudde...

3

Reser vi till prästen?
Ja, det gör vi!
Gifter oss för resten?
Ja, det gör vi!
Är det riktigt säkert?
Ja, det är det!
Hopp sudde...

4

Köper du psalmboken?
Ja, det gör jag!
Skriver du på pärmen?
Ja, det gör jag!
Är det riktigt säkert?
Ja, det är det!
Hopp sudde...

5

Ska vi göra gille?
Ja, det ska vi!
Ska det bli till våren?
Ja, det ska det!
Är det riktigt säkert?
Ja, det är det!
Hopp sudde...

Alfabetsvisan

A, B, C, D, E, F, G, H, I, J, K, L, M, N, O, P, Q, R, S, T, U, V, X, Y, Zä-ta, Å, Ä, Ö. Nu så kan du sjung-a A, B, C. Näs-ta gång får du väl gö-ra de'.

Herr Gurka

TEXT Lennart Hellsing
MUSIK Knut Brodin
♩ 252

Här dan - sar herr Gur - ka bå - de vals och ma - sur - ka.

Grön är herr Gur - ka, grön är hans bror.

Bå - da har strum - por, ing - en har skor.

Krakel Spektakel

TEXT Lennart Hellsing
MUSIK Knut Brodin
♩ 252

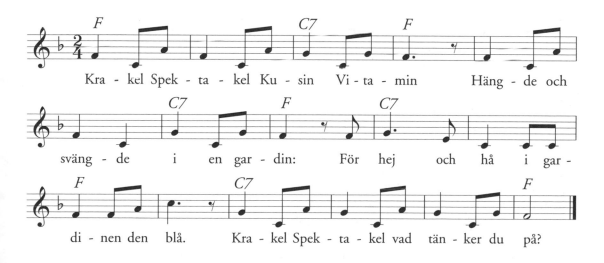

Kra - kel Spek - ta - kel Ku - sin Vi - ta - min Häng - de och

sväng - de i en gar - din: För hej och hå i gar -

di - nen den blå. Kra - kel Spek - ta - kel vad tän - ker du på?

Dinkeli dunkeli doja

Text Lennart Hellsing
Musik Knut Brodin
♩ 252

Din - ke - li dun - ke - li do - ja, he - ter en grön pa - pe - go - ja.

Din - ke - li - dunk he - ter en munk, som bor i en pep - par - kaks - ko -

Vattenvisan

Text Lennart Hellsing
Musik Lille Bror Söderlundh
♩ 253

Dripp dropp dripp dropp dripp dropp dripp dropp. Vad är det som

reg - nar på vå - ra pa - ra - plyn? Vad är det som snö - ar

ner från skyn? Jo, vat - ten, vat - ten, ba - ra van - ligt vat - ten.

2
Vad är det i molnen
där uppe i det blå?
Vad är det som båtar
flyter på?
Jo, vatten, vatten
bara vanligt vatten.

3
Vad är det vi badar
och simmar i ibland?
Vad är det som kluckar
emot strand?
Jo, vatten, vatten
bara vanligt vatten.

4

Vad är det som fryser
och blir till snö och is?
Jo, det tror jag nog ni
vet precis.
Jo, vatten, vatten
bara vanligt vatten.

5

Vad är det man fyller
i kylar'n på en bil?
Vad är det som droppar
ur en sil?
Jo, vatten, vatten
bara vanligt vatten.

Hej sa Petronella

TEXT Lennart Hellsing
MUSIK Knut Brodin
♩ 253

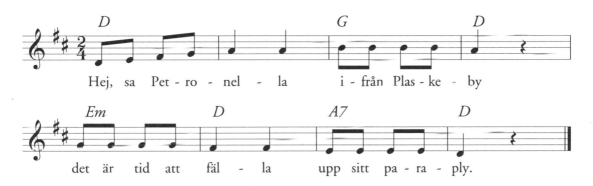

Hej, sa Pet - ro - nel - la i - från Plas - ke - by
det är tid att fäl - la upp sitt pa - ra - ply.

2

Sen så ska vi traska kring och ha det kul.
Det får gärna plaska ända fram till jul.

3

Glada ska vi ropa: Tjänare och mors!
Segla allihopa bort i en galosch.

4

Segla hela natten intill ljusan dag.
Är du rädd för vatten? Det är inte jag.

Önskevisa

TEXT Lennart Hellsing
MUSIK Trad
♩ 253

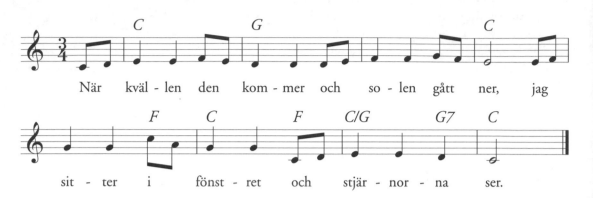

C　　　　　　　G　　　　　　　　　　　　C

När kväl - len den kom - mer och so - len gått ner, jag

F　　　C　　　　F　C/G　　　G7　C

sit - ter i fönst - ret och stjär - nor - na ser.

2
En stjärna just faller
i rymden den blå.
Jag blundar och skyndar
att önska mig då.

3
Jag önskar en tröja
och skidor ett par.
Och många små valpar
åt hunden vi har.

4
Jag önskar mig silver
jag önskar mig gull.
Och mindre med läxor
för skidförets skull.

Markisen av Carabas

TEXT Lennart Hellsing
MUSIK Efter J.D. Zander
♩ 253

F　　　　　　　　　　　　　　　　　　　G7

Hans nåd, mar - ki - sen av Ca - ra - bas har gri - sar som le - ver på

C7　　　　　　　F

smult - ron - glass, han ko - kar sin väl - ling i guld - kast - rull ut -

G7　　　C7　　　　F　　　　　　　C　　　　Gm

si - rad med fint kru - si - dull. Vår kä - re mar - kis, han

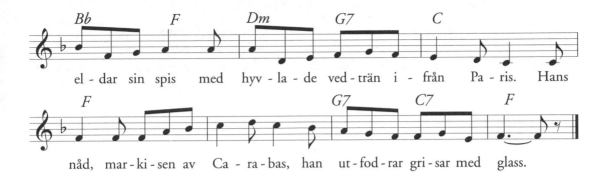

el - dar sin spis med hyv - la - de ved - trän i - från Pa - ris. Hans

nåd, mar - ki - sen av Ca - ra - bas, han ut - fod - rar gri - sar med glass.

2

Hans nåd, Markisen av Carabas
har getter som gnager på ananas.
Han vattnar sin lustgårds förgyllda ros
med grädde och persikojuice.
Ja, allt är förgyllt,

sitt slott har han fyllt
med guld och med silver och hjortronsylt!
Hans nåd, Markisen av Carabas
ger getterna färsk ananas.

© Lennart Hellsing

Annabell Olsson

TEXT Lennart Hellsing
MUSIK Trad
♩ 253

An - na - bell, An - na - bell, An - na - bell Ols - son, hon

sit - ter och dröm - mer när må - nen går opp. Hon

vand - rar i träd - går'n och luk - tar på blom - mor och

sjung - er bland lil - jor och ro - sen - de knopp.

2

Annabell, Annabell, Annabell Olsson,
hon torkar ej disken och bäddar som vi.
Hon väljer bland pärlor och trär dem på snoddar,
i siden och sammet hon dansar förbi.

3

Annabell, Annabell, Annabell Olsson,
är inte som andra som bråkar och slåss.
Hon är en förtrollad prinsessa från sagan
som råkat gå vilse och bor här hos oss.

Tom-balalajka

TEXT Lennart Hellsing
MUSIK Trad
♩ 253

Säg mig sys - ter, om du det vet: Vad kan
väx - a i e - vig - het? Säg, vad kan blom - ma
höst lik - som vår? Säg, vad kan grå - ta u - tan en
tår? Tom - ba - la, tom - ba - la, tom - ba - la - laj - ka.
Tom - ba - la, tom - ba - la, tom - ba - la - laj - ka. Sjung ba - la -
laj - ka, tom - ba - la - laj - ka. Sjung ba - la - laj - ka,
tom - ba - la - laj - ka. - laj - ka.

2

Ja, min broder, visst vet jag det.
Sorg kan växa i evighet.
Kärlek kan blomma höst liksom vår.
Hjärtat kan gråta utan en tår.
||: Tombala tombala tombalalajka :||
||: Sjung balalajka, tombalalajka. :||

Vaggvisa för liten grön banan

Text Lennart Hellsing
Musik Georg Riedel
♩ 253

Sov på din gren, du grö-na lil-la. Nat-ten är stil-la,
nat-ten är stil-la, sov på din gren, sov på din gren.

2

Månen din mor,
sig sakta makar.
Allting bevakar,
allting bevakar,
månen din mor,
månen din mor.

3

Över dig ner,
månljuset silar.
Silvermjölk strilar,
silvermjölk strilar,
över dig ner,
över dig ner.

4

Grönska blir gul,
vad tiden lider.
Guldgul omsider,
guldgul omsider,
grönska blir gul,
grönska blir gul.

5

Sov på din gren,
månmjölken strömmar.
Dröm dina drömmar,
dröm dina drömmar,
sov på din gren,
sov på din gren.

Här kommer Pippi Långstrump

Text Astrid Lindgren
Musik Jan Johansson
♩ 253

Refr.

Här kom-mer Pip-pi Lång-strump, tjo-la-hopp tjo-la-hej tjo-la-
hopp-san-sa här kom-mer Pip-pi Lång-strump, ja här
kom-mer fak-tiskt jag. (Fine) Vers Har du sett min
a - pa, min sö-ta fi - na lil - la a - pa
har du sett Herr Nils - son, ja han he - ter fak-tiskt
så. Har du sett min vil - la, min Vil - la
Vil - le-kul-la-vil - la, vill å vill du
ve - ta, var-för vil - lan he - ter så?

Till refräng

Efter 2:a versen
Refr. till Fine.

Här kommer Pippi Långstrump,
tjolahopp tjolahej tjolahoppsansa,
här kommer Pippi Långstrump,
ja här kommer faktiskt jag.
Har du sett min apa
min söta fina lilla apa,
har du sett herr Nilsson,
ja, han heter faktiskt så.

Har du sett min villa,
min Villa Villekulla-villa,
vill å vill du veta,
varför villan heter så?

Jo för där bor ju Pippi Långstrump
tjolahopp tjolahej tjolahoppsansa,
där bor ju Pippi Långstrump,
ja där bor faktiskt jag.

Det är inte illa
jag har apa, häst o villa,
en kappsäck full av pengar
är det också bra att ha.

Kom nu alla vänner,
varenda kotte som jag känner,
nu ska vi leva loppan,
tjolahopp tjolahej tjolahoppsansa,

Här kommer Pippi Långstrump,
tjolahopp tjolahej tjolahoppsansa,
här kommer Pippi Långstrump,
ja här kommer faktiskt jag.

Mors lilla lathund

Text Astrid Lindgren
Musik Georg Riedel
♩ 254

Mors lil - la lat - hund sa: Du må tro, jag job - bar
bra, Fast- än vet du vad, in - te just i - dag, jag
gör det helst en an - nan dag. Mors lil - la
lat - hund sa: Ing - en kan så bra som jag, men tyc - ker

du som jag, tyc-ker du som jag, så gör jag det en an-nan

dag. Tra - la - la-la-la - la, i

morrn då ska jag kno - ga he - la guss-

lång - a dan, ja oj, oj, oj, vad jag ska gno. Ja, för ser du

2
Ja, för ser du, därför så måste jag
ta det lite lugnt idag,
jo, för just idag
mår jag inte bra,
jag gör det helst en annan dag.
Tra-la-la-la-la-la,
i morrn då ska jag knoga

hela gusslånga dan,
ja, oj, oj, oj, vad jag ska gno!
Jo, för mors lilla lathund sa:
Ingen kan så bra som jag,
men tycker du som jag,
tycker du som jag,
så gör jag det en annan dag

Du käre lille snickerbo'

Text Astrid Lindgren
Musik Georg Riedel
♩ 254

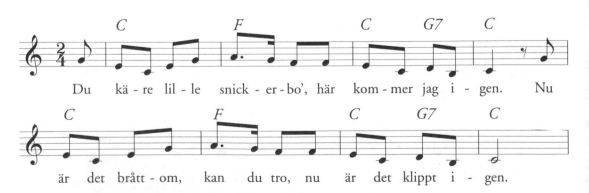

Du kä-re lil - le snick-er-bo', här kom-mer jag i-gen. Nu

är det brått-om, kan du tro, nu är det klippt i-gen.

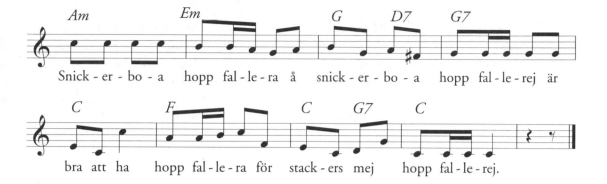

Snick - er - bo - a hopp fal - le - ra å snick - er - bo - a hopp fal - le - rej är

bra att ha hopp fal - le - ra för stack - ers mej hopp fal - le - rej.

2
Till snickerboa ränner jag,
när det är nåt jag gjort.
Men far min löper också bra
fast inte lika fort.
Snickerboa hopp fallera...

3
Det får bli slut med mine hyss
har far min sagt ifrån.
Jag gjorde ett alldeles nyss
som visst tog knäcken på´n!
Snickerboa hopp fallera...

4
Du käre lille snickerbo',
vad jag är glad åt dej!
Nu sitter jag i lugn å ro
å bare viler mej.
Snickerboa hopp fallera...

Fattig bonddräng

TEXT Astrid Lindgren
MUSIK Georg Riedel
♩ 254

Jag är fat - tig bond - dräng men jag le - ver än - då.

Da - gar går och kom - mer, me - dan jag kno - gar på,

har - var, sår och plö - jer, moc - kar, grä - ver och bär,

går bak mi - na o - xar, hoj - tar, viss - lar och svär.

2
Jag är fattig bonddräng
och jag tuggar mitt snus,
och när lördan kommer
vill jag ta mej ett rus.
Sen när jag blitt livad,
vill jag tampas och slåss,
vila hos en flicka
vill jag också förstås.

3
Sen så kommer söndan
och då vill våran präst,
att jag ska i körkan
men då sover jag mest.
Prästen kan väl sova
hela måndagen men
för en fattig bonddräng
börjar knoget igen.

4
Så går hela veckan
alla dagar och år,
jag går med min lie
och jag plöjer och sår.
Jag kör mina oxar
och jag hässjar mitt hö,
harvar, gnor och trälar,
och till sist ska jag dö.

5
Står där, fattig bonddräng,
invid himmelens port,
lite rädd och lessen
för de synder jag gjort.
Man ska inte supa,
hålls med flickor och slåss.
Herren Gud i himlen
är väl missnöjd förstås.

6
Men då säger Herren:
Fattig bonddräng, kom hit!
Jag har sett din strävan
och ditt eviga slit.
Därför, fattiga bonddräng,
är du välkommen här.
Därför, fattig bonddräng,
ska du vara mej när.

7
Och jag, fattig bonddräng,
står så still inför Gud,
och sen klär han på mej
den mest snövita skrud.
Nu du, säger Herren,
är ditt arbete slut.
Nu du, fattig bonddräng,
nu får du vila ut.

Pilutta-visan

TEXT Astrid Lindgren
MUSIK Bengt Hallberg
♩ 254

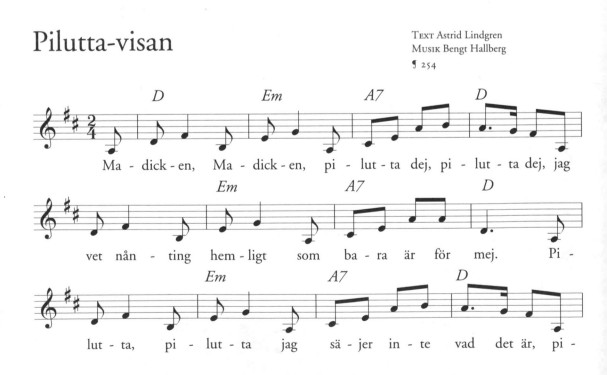

Ma - dick - en, Ma - dick - en, pi - lut - ta dej, pi - lut - ta dej, jag
vet nån - ting hem - ligt som ba - ra är för mej. Pi -
lut - ta, pi - lut - ta jag sä - jer in - te vad det är, pi -

lut - ta, fast du vill nog gär - na ve - ta det, pi -
lut - ta dej, en hem - lig - het, pi - lut - ta dej, som ing - en, ing - en vet, och
ing - en på jor - den får nån - sin hö - ra det. Fast
det för - ståss, om du är snäll och ger mej en och an - nan ka - ra - mell, så
kan - ske, ja kan - ske jag sä - ger det i kväll.

Madicken:
Oj, vad du är barnslig, du stackars lilla Lisabet!
Jag struntar väl blankt i din dumma hemlighet.
Det är nånting fånigt, det slår jag mej i backen på,
och vad det än är får jag veta det ändå.
Pilutta dej, pilutta dej,
jag vet att du berättar det för mej
det kan jag slå vad om, jo för jag känner dej.
Jag vet att redan nu i kväll
så bubblar allting ur dej med en smäll,
och det går så bra utan minsta karamell.

Lisabet:
Du tror det är fånigt, men det är tvärtom nånting bra,
och jag fick veta't av mamma idag.

© Text: Saltkråkan AB.
Musik: Bengt Hallberg, Improkomp

Madicken:
Av mamma – vad då då? Då vill jag
också veta det,
berätta nu genast, berätta vad det är!

Lisabet:
Nej, vet du va, vad mamma sa,
att jag fick inte säja vad det va,
det får du väl se när det blir din fölseda'.
Fast tänk nu om du skulle få
en sidenhatt med skära rosor på?
Men jag säger inget, det måste du förstå.

Båda:
Pilutta dej, pilutta dej
pilutta dej, pilutta dej och mej,
pilutta, pilutta, pilutta dej och mej.

Luffarvisan

Text Astrid Lindgren
Musik Gösta Linderholm
♩ 254

Se på luf-farn som går där på vä-gen. Se på luf-farn Guds lil-le fyr. Så snart som det blir vår går han ut och går, för att sö-ka sig ä-ven-tyr. Han går så långt som vä-gar-na räc-ker. Han har en o-ro och läng-tan i sitt blod. Och när som so-la skin då far van-vett i'n det är det som ger ho-nom hans mod. Han vill va fri som en få-gel, fri som en få-gel och då är det som nån-ting ro-par: Kom! i hans gal-na luf-fa-re-blod. Han vill va fri som en få-gel fri som en

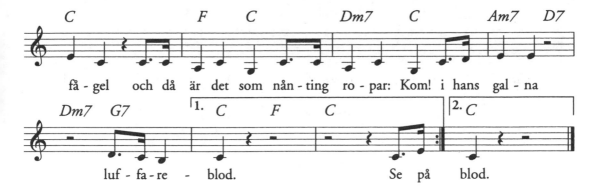

fä - gel och då är det som nån - ting ro - par: Kom! i hans gal - na

luf - fa - re - blod. Se på blod.

2

Se på luffarn som går där på vägen.
Se på luffarn Guds lille fyr.
Nog blir han trött ibland
och då tänker han:
Varför söker jag äventyr.

Varför måste jag vandra och vandra
Det finns så många klokare bestyr.
Så varför ska jag då
bara gå och gå
jag kanske vandrar åt helsefyr.

Han vill va fri som en fågel,
fri som en fågel
och då är det som nånting ropar: Kom!
I hans galna luffareblod.

Han vill va fri som en fågel,
fri som en fågel
och då är det som nånting ropar: Kom!
I hans galna luffareblod.

© Text: Saltkråkan AB. Musik: Förlag Blå Lavendel

Vargsången

TEXT Astrid Lindgren
MUSIK Björn Isfält
♩ 255

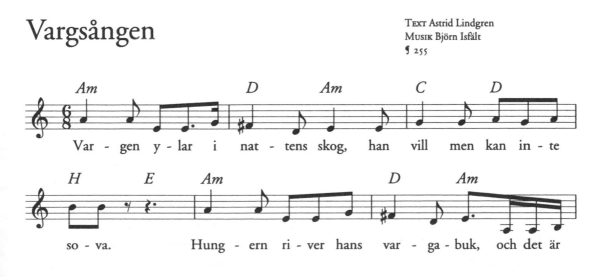

Var - gen y - lar i nat - tens skog, han vill men kan in - te

so - va. Hung - ern ri - ver hans var - ga - buk, och det är

kallt i hans sto - va. Du varg, du varg, kom

in - te hit, ung - en min får du ald - rig.

2
Vargen ylar i nattens skog,
ylar av hunger och klagan.
Men jag ska ge'n en grisasvans,
sånt passar i vargamagar.
Du varg, du varg
kom inte hit,
ungen min får du aldrig.

3
Vargen ylar i nattens skog,
och hittar sig inget byte.
Men jag ska ge'n en tuppakam,
att stoppa ner i sitt knyte.
Du varg, du varg
kom inte hit,
ungen min får du aldrig.

4
Sov, mitt barn, i bädden hos mor,
låt vargen yla i natten.
Men jag ska ge'n en hönsaskank,
om ingen annan har tatt'en.
Du varg, du varg
kom inte hit,
ungen min får du aldrig.

Falukorvsvisan

Text Astrid Lindgren
Musik Georg Riedel
♩ 255

Nu vill jag ha - va fa - lu - korv på den - na skö - na dag och

det ska va - ra fa - lu - korv av all - ra bäs - ta slag. Ja,

den ska va - ra him - la god och fle - ra me - ter lång och

fö - ras hem till Bul - ler - byn med mun - ter lek och sång.

Alla ska sova för nu är det natt

Text Astrid Lindgren
Musik Georg Riedel
♩ 255

Nu lil - la hum - la nu ska du so - va. Al - la små ung - ar

i si - na säng - ar och de - ras mam - mor och de - ras pap - por

al - la ska so - va för nu är det natt. So - va ska ock - så var e - vi - ga katt.

2
Kossor och kalvar
i sina hagar
alla små föl och
alla små grisar
alla kaniner
och alla små lamm,
nu ska de sova
för nu är det natt.
Sova ska också
vareviga katt.

3
Skogar och hagar
åkrar och ängar
blommor och fåglar
och alla små kryp
allting som lever
på hela jorden,
allting ska sova
för nu är det natt.
Sova ska också
vareviga katt.

Rövarnas visa

TEXT Thorbjørn Egner, övers Ulf Peder
Olrog och Håkan Norlén
MUSIK Thorbjørn Egner
♩ 255

Nu drar vi ut på rö-var-stråt ja, vi ska ut och rö-va, men ba-ra sånt vi kom-mer åt och sånt vi kan be-hö-va. Nu är det mörkt kring stad och land, nu so-ver folk så gott de kan. Nu drar vi i-väg med vår säck och vår spann, bå-de Kas-per och Jes-per och Jo-na-tan.

2

Vi går till Kamomilla stad
till bageributiken.
Vi rövar bröd och lemonad
så ingen blir besviken.
Det händer nog att Jonatan
vill ha en polkagris ibland.
Men annars så tar vi så lite vi kan,
både Kasper och Jesper och Jonatan.
(Ja, Jonatan skall ju alltid ha nåt att tugga på.)

3

Vi vet så väl var vi ska ta't
och har så goda nerver
hos slaktarn tar vi lejonmat
och fläsk och köttkonserver,
och oxfilé är gott minsann
och prickig korv går också an,
men annars så tar vi så lite vi kan,
både Kasper och Jesper och Jonatan.
(Ja, det gör vi. Men lite måste man ju ha
för att kunna leva.)

4
Men vi behöver också gull
– det tar vi om vi kan det.
Och när vi sen fått säcken full
så drar vi hem till landet.
Då är vi hungriga minsann,
och mat vi lagar åt varann,
men annars så gör vi så lite vi kan,
både Kasper och Jesper och Jonatan.
(Ja, det är just vad vi gör det!)

Gubben i lådan

Text Gullan Bornemark
Musik Gullan Bornemark
♩ 255

Gub - ben i lå - dan, gub - ben i lå - dan,
vad har du för dej, so - ver du?
Ko - kar du kaf - fe, bors - tar du skor - na?
Gub - ben i lå - dan, kom fram! Hej!

2
Gumman i lådan, gumman i lådan,
vad har du för dej,
sover du?
Bakar du bullar,
klappar du katten?
Gumman i lådan, kom fram!
Hej!

Sudda, sudda

Text Gullan Bornemark
Musik Gullan Bornemark
♩ 255

Det var en li-ten poj-ke, som jämt var arg och sur. Han vil-le in-te skrat-ta, det

var en trist fi-gur. En dag sa poj-kens mam-ma: Klä på dej, lil-le vän! Du

får gå ut och le-ka med An-ni-ka och Sven. Då tog han på sej roc-ken, men

all-ra, all-ra sist så tog han på sin su-ra min så arg och dum och trist.

Talas: Men då sa mamma: Sud-da, sud-da, sud-da, sud-da bort din su-ra min.

Sud-da, sud-da, sud-da, sud-da bort din su-ra min. Mun-nen den ska

skrat-ta och va gla. Mun-nen den ska sjung-a tra-la-la.

Mun-nen har du fått för du ska tral-la. Sud-da sud-da bort din su-ra min.

2

På morron när han vakna, då var han rar och snäll,
och när han klädde på sej så hördes inget gnäll.
Han började med tröjan och skjortan i en fart,
sen satte han på byxor och strumpor ganska snart.
Sen tog han på sej skorna, men allra allra sist
så tog han på sin sura min, så arg och dum och trist.

Men då sa mamma:
Sudda, sudda …

3

På fredag ska man städa, sa mamma häromdan.
Så for hon fram i huset precis som en orkan.
Hon fejade i sovrum och trappa och tambur.
När kvällen kom var mamma så trött så hon var sur.
Då tog hon av sej förklät, men allra, allra sist
så tog hon på sin sura min, så arg och dum och trist.

Men då sa *pojken:*
Sudda, sudda …

Lillebror

Text Gullan Bornemark
Musik Gullan Bornemark
♩ 256

Vå - ran lil - le - bror han kan sjung - a han.

Ing - en sjung - er så bra min - sann! När han

tral - lar och vin - kar skrat - tar so - len och

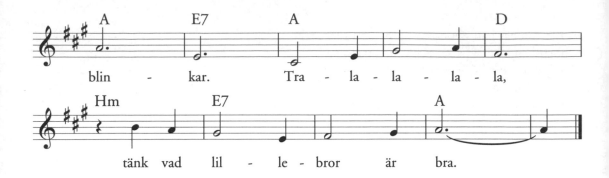

blin - kar. Tra - la - la - la - la,

tänk vad lil - le - bror är bra.

2
Våran lillebror han kan baka han.
Ingen bakar så bra, minsann!
Vem som vill kan få smaka
världens godaste kaka. Trallala…

3
Våran lillebror han kan rita han.
Ingen ritar så bra, minsann!
Apor, katter och hundar
gör han medan han blundar. Trallala…

4
Våran lillebror han kan räkna han.
Ingen räknar så bra, minsann!
Medan du säger flundra
kan han räkna till hundra. Trallala…

5
Våran lillebror han kan läsa han.
Ingen läser så bra, minsann!
Små små böcker på tyska,
STORA böcker på ryska. Trallala…

6
Våran lillebror han kan trolla han
Ingen trollar så bra, minsann,
Glass, det gör han av lera.
Tar det slut gör han mera. Trallala…

Gunga åt öster

TEXT Borghild Arnér
MUSIK Borghild Arnér
♩ 256

Gung - a åt ös - ter och gung - a åt väs - ter och gung - a åt

sö - der och norr. Hej å hå

gung - a på. Sen gung - ar vi hem i - gen.

Tras - ka åt ös - ter och tras - ka åt väs - ter och tras - ka åt sö - der och

norr. Hej och hå, tras - ka på. Sen tras - kar vi hem i - gen.

2
Segla åt öster och segla åt väster
och segla åt söder och norr.
Hej och hå, segla på.
Sen seglar vi hem igen.

4
Flyga åt öster och flyga åt väster
och flyga åt söder och norr.
Hej och hå, flyga på.
Sen flyger vi hem igen.

3
Rida åt öster och rida åt väster
och rida åt söder och norr.
Hej och hå, rida på.
Sen rider vi hem igen.

Jag vill ha blommig falukorv till lunch

Text Hans Alfredson
Musik Hans Alfredson
♩ 256

Jag vill ha blom - mig fa - lu - korv till lunch, mam - ma! Nåt an - nat vill jag in - te

ha! Jag ha - tar to - ma - ten och fis - ken och spe - na - ten och

plät-tar-na med ling-on-sylt! Fläsk har vi för of-ta! Lamm sma-kar som

kof-ta! Biff med lök är rik-tigt läb-bigt! Jag vill ha blom-mig fa-lu-korv till

lunch, mam-ma! Nåt an-nat vill jag in-te ha!

2

Jag vill ha blommig falukorv till lunch,
mamma!
Nåt annat vill jag inte ha!
Nä – aldrig jag äter
mer rotmos och potäter .
och isterband och kalvkotlett!

Pytt – det är för pyttigt!
Mjölk – det är för nyttigt!
Knäckebröd – för hårt att tugga!
Jag vill ha blommig falukorv till lunch,
mamma!
Nåt annat vill jag inte ha!

Galen i glass

Text Olle Widestrand
Musik Olle Widestrand
♩ 256

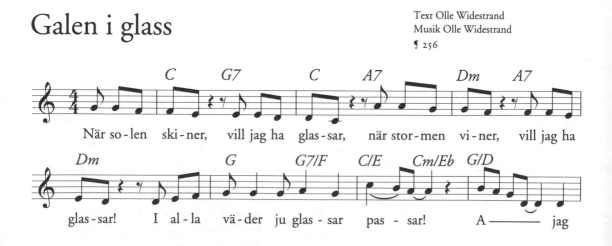

När so-len ski-ner, vill jag ha glas-sar, när stor-men vi-ner, vill jag ha

glas-sar! I al-la vä-der ju glas-sar pas-sar! A——— jag

mås-te ha glass! Ga-len, jag är ga-len i glass!

Ga-len, jag är ga-len i glass! Glass, glass, glass i sto-ra

lass, lass, lass, ja, jag är ga-len i glass! *(Tjut)* *Iiiiii!*

2
Jag aldrig slutar
att gilla glassar,
i stora strutar
vill jag ha glassar.
I alla former
ju glassar passar!
Å –
Jag måste ha glass!

3
Om magen kurrar
vill jag ha glassar.
Om hu'vet surrar
vill jag ha glassar.
I alla lägen
ju glassar passar!
Å –
Jag måste ha glass!

© Text och musik: Olle Widestrand

Det brinner, det brinner

TEXT Olle Widestrand
MUSIK Olle Widestrand
♩ 256

Tut, tut, det brin-ner, det brin-ner! Jag hop-pas att

brand-kå-ren hin-ner dit-bort där det o-täc-ka eld-ske-net är. Dom

sä-jer det brin-ner i Svens-sons af-fär.

2
Sprut, sprut, dom sprutar och sprutar
och snabbt uppför stegarna kutar.
Det gäller att släcka så hastigt man kan,
och jobbar i röken det gör varje man.

3
Snart, snart är eldsvådan över,
nu vila en stund man behöver.
Till brandmännen Svensson sa: Tack ska ni ha!
Tänk, ingen blev skadad, det gjorde ni bra!

Jag vill ha munkar

Musik arrangemang Ola Eriksson
♩ 256

2
Jag vill ha biffar, biffar, biffar med lök på,
stora feta biffar med lök på,
när jag kommer hem till dig,
så vill jag inte ha nå'n liten grej.

4
Jag vil ha plättar, plättar, plättar med sylt på,
stora feta plättar med sylt på,
när jag kommer hem till dig,
så vill jag inte ha nå'n liten grej.

3
Jag vill ha kola, kola, kola med papper,
stora feta kola med papper,
när jag kommer hem till dig,
så vill jag inte ha nå'n liten grej.

Rimtramsa

Text Clas Rosvall
Musik Clas Rosvall
♩ 256

Jag vet en hund som he-ter Hu-go som kan räk-na upp till .... och en
gris som he-ter Kris-ter som har try-net fullt med .... och en
get som he-ter Jan-ne som jämt brå-kar med sin .... och en
tjur som he-ter Tor som går om-kring i rö-da ....

2
Jag vet en ål som heter Roland
som har utvandrat från …
och en torsk som heter Torsten
som har bott i våran …
och en mask som heter Max
som bara äter rimmad …
och en delfin som heter Dennis
som är mästare i …

3
Jag känner snigeln Sixten
som är snabbare än …
och en orm som heter Orvar
och kan sluka hundra …
och en tax som heter Tage
som har skavsår på sin …
och en skunk som heter Sven
som inte har en enda …

4
Jag vet en älg som heter Ellen
som har sportstuga i …
och en ren som heter Rolf
som varje söndag spelar …
och en giraff som heter Affe
som får halsbränna av …
och en hjort som heter Gert
som går omkring med naken …

5
Jag vet en svan som heter Svante
som har näbben i en …
och en gås som heter Oskar
som blir livrädd när det …
och en stork som heter Sten
som jämt slår knut på sina …
och en örn som heter Örjan
och nu börjar vi från …

6
med en hund som heter Hugo
som kan räkna upp till …
och en järv som heter Jöns
som tycker om att jaga …
och en häst som heter Östen
som får hösnuva på …
och en räv som heter Rut
och nu är tramsan …

Året runt

Årstiderna

Text Alice Tegnér
Musik Alice Tegnér
♩ 256

Om vå - ren, om vå - ren, då är det all - ra bäst, då
ha vi så ro - ligt och le - ka all - ra mest. Då
ploc - ka vi gull - vi - vor och sip - por, vi - ta, blå, och
så vi sväng - a om och runt i ring - en gå.

2
Om sommarn, om sommarn, då är det allra bäst,
då ha vi så roligt och leka allra mest.
Då ro vi ut på viken, där vågorna de slå,
och så vi svänga om och runt i ringen gå.

3
Om hösten, om hösten, då är det allra bäst,
då har vi så roligt och leka allra mest.
Då få vi plocka äpplen och plommon, gula, blå,
och så vi svänga om och runt i ringen gå.

4
Om vintern, om vintern, då är det allra bäst,
då har vi så roligt och leka allra mest.
Båd' skridsko och skida vi då få pröva på,
och så vi svänga om och runt i ringen gå.

Månaderna

TEXT Betty Ehrenborg-Posse
MUSIK Ludwig van Beethoven
♩ 256

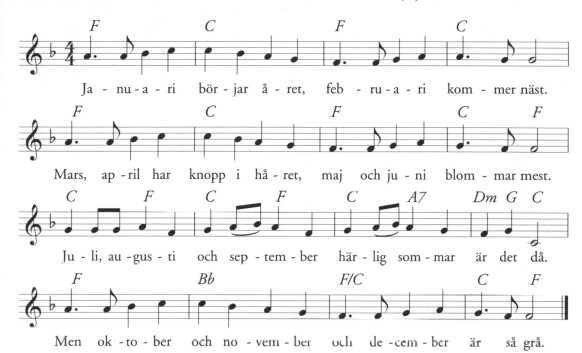

Ja - nu - a - ri bör - jar å - ret, feb - ru - a - ri kom - mer näst.

Mars, ap - ril har knopp i hå - ret, maj och ju - ni blom - mar mest.

Ju - li, au - gus - ti och sep - tem - ber här - lig som - mar är det då.

Men ok - to - ber och no - vem - ber och de - cem - ber är så grå.

Vintern rasat ut
(Längtan till landet)

TEXT Herman Sätherberg
MUSIK Otto Lindblad
♩ 256

Vin - tern ra - sat ut bland vå - ra fjäl - lar, dri - vans blom - mor

smäl - ta ned och dö. Him - len ler i vå - rens lju - sa kväl - lar,

so - len kys - ser liv i skog och sjö. Snart är som - marn här i

pur - pur - vå - gor, guld - be - lag - da a - zur - skif - tan - de,
lig - ga äng - ar - ne i da - gens lå - gor, och i lun - den
dan - sar käl - lor - ne.

2
Ja, jag kommer! Hälsen, glada vindar,
ut till landet, ut till fåglarne,
att jag älskar dem, till björk och lindar,
sjö och berg, jag vill dem återse,

‖: se dem än som i min barndoms stunder
följa bäckens dans till klarnad sjö,
trastens sång i furuskogens lunder,
vattenfågelns lek kring fjärd och ö. :‖

Ägg

TEXT Gullan Bornemark
MUSIK Gullan Bornemark
♩ 257

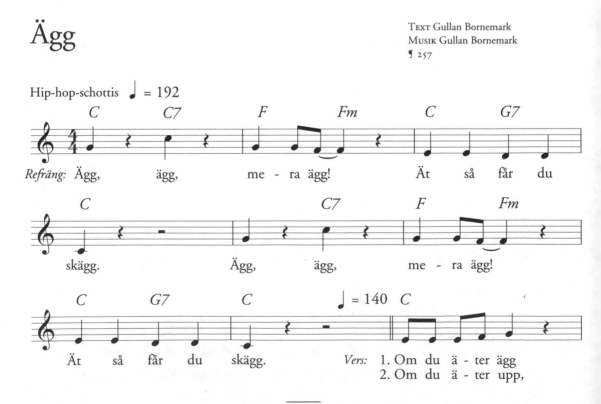

Hip-hop-schottis ♩ = 192

Refräng: Ägg, ägg, me - ra ägg! Ät så får du
skägg. Ägg, ägg, me - ra ägg!
Ät så får du skägg. Vers: 1. Om du ä - ter ägg
2. Om du ä - ter upp,

Sjung så här:
Refräng

Vers 1
Omkväde
Refräng

Vers 2
Omkväde
Refräng

Vår på Saltkråkan
(Nu är våren kommen)

Text Astrid Lindgren
Musik Ulf Björlin
♩ 257

Nu ska du hö - ra nån - ting som jag vill ta - la om, jag såg en

lär - ka nyss, och det var vå - ren som kom. Nu är vå - ren kom - men,

nu är vå - ren kom - men, al - la lär - kor bör - jar dril - la då, just då.

Vå - rens el - dar brin - na, vå - rens bäc - kar rin - na, vå - rens kväl - lar

är så blå så blå så blå ²Nu ska du vi vill tral - la så just så.
³Nu ska du

2
Nu ska du höra nånting som jag vill tala om,
jag såg en flicka nyss, och det var våren
   som kom.
Nu är våren kommen,
nu är våren kommen,
alla flickor börjar tralla då, just då.
Tra-la-la-la-la-la,
tra-la-la-la-la-la,
vill du tralla ska du tralla så, just så.

3
Nu ska du höra nånting som jag vill tala om,
jag såg en pojke nyss, och det var våren
   som kom.
Nu är våren kommen,
nu är våren kommen,
alla pojkar börjar vissla då, just då.
(Vissling, vissling, vissling,
vissling, vissling, vissling)
Vill du vissla ska du vissla så, just så.

4

Tra-la-la-la-la-la-la-la-la-la-la-la-la
(vissling tretton toner)
Nu är våren kommen,
nu är våren kommen,
alla trallar, alla visslar då, just då.
Tra-la-la-la-la-la
(vissling sex toner)
Vi vill vissla, vi vill tralla så, just så.

Sommarlov

Text Thore Skogman
Musik Thore Skogman
♩ 257

Som - mar - lov vi vän - tar på. Som - mar - lov vi - snart skall få. Som - mar - lo - vet är un - der - bart. Som - mar - lov vi nu öns - kar oss al - la. Som - mar - lov med bad och sol. Som - mar - lov lik - som i fjol. Visst är frö - ken och sko - lan bra men som - mar - lov vill vi ha. 1. Räk - na, lä - sa, skri - va kan i -

F7   **Bb**   **G7**

bland bli gans - ka trist.   Men när som - mar -

C   **G**   **G7**   **C**   **C7**

lo - vet kom - mer är det all - tid nå' visst.

F   **Gm**

Som - mar - lov med bad och sol.   Som - mar - lov lik -

C7

som i fjol.   Visst är frö - ken och sko - lan bra, men

G7   **C7**   **F**   **Fine**

som - mar - lov vill vi ha.

Vers   **F**   **Bb6**   **Gm**   **C7**

Al - la i sko - lan en läng - tan vi har, läng - tan till som - mar och

F   **Bb**   **Hdim**   **F**   **D7**

so - li - ga dar.   Från Ha - pa - ran - da och ner till Ska - nör

G7   **C Dm D#dim C7**   **D.C.al Fine**

sjung - er vi nu al - la skol - barn i kör.

2

Sommarlov vi väntar på …

Många fina lov vi har,
ja, påsk och pingst och jul.
Men när sommarlovet kommer
är det alltid så kul.

Sommarlov med bad och sol.
Sommarlov liksom i fjol.
Visst är fröken och skolan bra,
men sommarlov vill vi ha.

Sommarlov

TEXT Maria Blohm och Eva Andersson
MUSIK Maria Blohm och Eva Andersson

Lilla Idas sommarvisa

(Du ska inte tro det blir sommar)

Text Astrid Lindgren
Musik Georg Riedel
♩ 257

Du ska in-te tro det blir som-mar i fall in-te nån sät-ter fart på

som-marn och gör li-te som-rigt Då kom-mer blom-mor-na snart jag

gör så att blom-mor-na blom-mar, jag gör he-la ko-ha-gen grön och

nu så har som-ma-ren kom - mit för jag har just ta-git bort snön.

2

Jag gör mycket vatten i bäcken
så där så det hoppar och far.
Jag gör fullt med svalor som flyger
och myggor som svalorna tar.
Jag gör löven nya på träden,
och små fågelbon här och där.
Jag gör himlen vacker om kvällen
för jag gör den alldeles skär.

3

Och smultron det gör jag åt barna
för det tycker jag dom kan få
och andra små roliga saker
som passar när barna är små,
och jag gör så roliga ställen
där barna kan springa omkring,
då blir barna fulla med sommar
och bena blir fulla med spring.

Sommarsången

Text Astrid Lindgren
Musik Georg Riedel
♩ 257

Och nu så vill jag sjung - a att som - ma - ren är skön, och trä - den är så fi - na och mar - ken är så grön, och blom - mor - na är vack - ra och hö - et luk - tar gott och so - len är så so - lig och vatt - net är så vått. Och lil - la få - geln fly - ger i bo - et ut och in, och där - för vill jag sjung - a att som - ma - ren är min.

2

Och jag vill också sjunga
att fjärilar är bra,
och alla söta myggor
dom vill jag också ha,
och jag är brun om bena,
precis som det ska va',

och därför vill jag sjunga
att bruna ben är bra.
Och jag har nya fräknar
och prickigt sommarskinn,
och därför vill jag sjunga
att sommaren är min.

© 1971 Hans Busch Musikförlag AB,
Stockholm. Tryckt med tillstånd av
Ehrlingförlagen/Music Sales

Här är den sköna sommar

TEXT Evert Taube
MUSIK Evert Taube
♩ 257

Jag sjöng vid bon-dens knut "Nu är som-ma-ren här!" "Det är
vå-ren som är slut," sva-rar bon-den så tvär. "Djupt gick
tjä-len här i nord och san-na mi-na ord, det är
krig och po-li-tik som har för-där-vat vår jord, det är
krig och po-li-tik som har för-där-vat vår jord!"

2

Jag sjöng för handelsman
där han stod i butik:
– Se, nu blommar ju din strand
och nu glittrar din vik!
Men han svarade burdus:
– Ja du går i glädjerus,
||: men se krig och politik drar nöd och sorg
till mitt hus! :||

3

Då gick jag ner till strand,
där låg skutan förtöjd.
– Se goddag på dig, sjöman!
Hör du fåglarnas fröjd?
Gökar gala här i land
under solens höga brand!
||: Men han svarade: – Jag seglar till ett var-
mare land. :||

4

Jag gick i aftonsång
för att höra Guds ord.
När jag står på kyrkans gång
hör jag kyrkherrens ord:
– Satan följer dina spår
höst och vinter och vår
‖: och han jagar dig om sommaren i blommande snår! :‖

5

Då sprang jag över ängen
där mandelblom står
och jag ser den lilla Karin,
till brunnen hon går.
Och då ropar hon till mig,
ja, på blommande stig:
‖: – Se, här är den sköna sommaren som jag har lovat dig! :‖

Brevet från Lillan

TEXT Evert Taube
MUSIK Evert Taube
♩ 257

Pap - pa kom hem! För vi läng - tar ef - ter dej!

Kom in - nan som - marn är slut, lil - la pap - pa!

Ås - kan har gått, och om kväl - len blir det mörkt,

stjär - nor - na syns nu på him - len i - gen.

59

Allt jag vill ha är ett hals-band av ko-rall,

ing-en-ting an-nat, det kos-tar för myc-ket.

På vå-ran tomt är det nu så myc-ket bär

och fullt med ung-ar har fåg-lar-na där.

Sjön är så varm och jag ba-dar var-je dag,

och jag hop-par i u-tan att bli rädd, för nu sim-mar jag så bra.

Vi ha så fint nu i vå-rat lil-la skjul,

och en li-ten gran ha vi ock-så sett, den som vi ska ha till jul.

Det-ta har jag skri-vit näs-tan ba-ra själv

och jag ska bör - ja i sko - lan till hös - ten.

Pap - pa kom hem! Jag vet nå - got som du får!

Nu slu - tar bre - vet från din El - li - nor.

Sjösala vals

Musik: Evert Taube
Text: Evert Taube
♩ 258

Rön - ner - dahl han skut - tar med ett skratt ur sin säng.

So - len står på Orr - ber - get. Sun - nan - vind bru - sar.

Rön - ner - dahl han val - sar ö - ver Sjö - sa - la äng.

Hör min vack - ra vi - sa, kom, sjung min re - fräng!

Tär - nan har fått ung - ar och dy - ker i min vik, ur

al - la grö-na dung - ar hörs fin - kar-nas mu - sik, och

se så mång-a blom - mor som re-dan sla-git ut på äng - en.

Gull - vi - va, man - del - blom, katt - fot och blå vi - ol.

2
Rönnerdahl han virvlar sina lurviga ben
under vita skjortan som viftar kring vadorna.
Lycklig som en lärka uti majsolens sken,
sjunger han för ekorrn, som gungar på gren!
Kurre, kurre, kurre! Nu dansar Rönnerdahl!
Kokó! Och göken ropar uti hans gröna dal
och se, så många blommor som redan slagit ut
   på ängen.
Gullviva, mandelblom, kattfot och blå viol.

3
Rönnerdahl han binder utav blommor en
   krans,
binder den kring håret, det gråa och rufsiga,
valsar in i stugan och har lutan till hands,
väcker frun och barnen med drill och kadans.
Titta, ropar ungarna, Pappa är en brud
med blomsterkrans i håret och nattskjorta till
   skrud!
Och se, så många blommor som redan slagit ut
   på ängen.
Gullviva, mandelblom, kattfot och blå viol.

4
Rönnerdahl är gammal, men han valsar ändå!
Rönnerdahl har sorger och ont om sekiner.
Sällan får han rasta, han får slita för två.
Hur han klarar skivan kan ingen förstå –
ingen, utom tärnan i viken (hon som dök)
och ekorren och finken och vårens första gök
och blommorna, de blommor som redan
   slagit ut på ängen.
Gullviva, mandelblom, kattfot och blå viol.

Överbyvals

TEXT Carl Anton Axelson
MUSIK Carl Anton Axelson
♩ 258

En sång som jag sjöng om som-ma-ren när ing-en-ting

fanns som tog i - från mig mitt skratt och

läng - e - sen jag sjöng så bra som då.

Jag ställ - de mig högst upp på vå - rat berg

hög - re än nå-gon - stans. Man kan in - te

an - nat när fåg - lar-na sjung - er när fär-ger - na spe-lar upp och

Refr.

vin - dar - na tar sig en vals med al - la må - sar - na

up - pe på Ö - ver - by - berg och

Vind - ö Ström - mar blom - mar av se - gel och bå -

Em7   *A7*   *D*

- tar i färg. Kom hit! Här bju - der

D7

mam - ma på blå - bär med soc - ker och kyl - skåps - kall

G   *D*   *C7* *H7*   *Em7*

fil. Sko - gen syns långt i dag och vatt - net

A7   *D*

minst ett par mil.

2
Mamma med inget puder alls
men härligt brun ändå.
Och ungar med hår som solen har blekt
och fötter med ingenting på.
Dom kommer till mej på vårat berg
högre än någonstans.
Dom kan inte annat när fåglarna sjunger
när färgerna spelar upp och vindarna tar sig

en vals med alla måsarna uppe på Överbyberg
och Vindö Strömmar blommar av segel och
    båtar i färg.
Kom hit! Här bjuder mamma på blåbär med
    socker och kylskåpskall fil.
Skogen syns långt i dag och vattnet – minst
    ett par mil.

3
När sommarn är slut och vintern här,
vit och vacker men kall.
Då vänjer man sig väl också vid den,
man måste ju i alla fall.
Men rätt vad det är så blundar jag
och då kan det tänka sig
att jag får höra hur fåglarna sjunger
och färgerna spelar upp och vindarna tar sig

en vals med alla måsarna uppe på Överbyberg
och Vindö Strömmar blommar av segel och
    båtar i färg.
Kom hit! Här bjuder mamma på blåbär med
    socker och kylskåpskall fil.
Skogen syns långt i dag och vattnet – minst
    ett par mil.

© Reuter & Reuter Förlags AB, Stockholm. Tryckt med tillstånd av Ehrlingförlagen/Music Sales

Barfotavisan

Text Mats Paulson
Musik Mats Paulson
♩ 258

Det finns så myc-ket att tit-ta på när

som-marn kom-mer till oss. Gro-dor som

hop-pa i bäck och damm och kal-var som

nyss kom-mit loss. Bar-fo-ta u-tan

strum-por och skor ska jag vand-ra med dej.

Ut till som-marn där vin-dar-na bor, till

ros och för-gät-mig-ej. Jag ploc-kar

smult-ron vid vä-gens kant och trär sen upp dem på

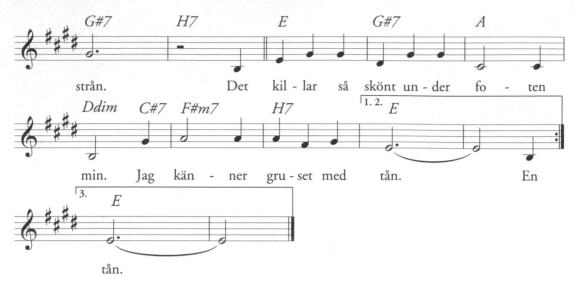

strån.   Det kil - lar så skönt un - der fo - ten

min.   Jag kän - ner gru - set med tån.   En

tån.

2
En svala flyger med svindlande fart
och måsarna skräna i skyn
och hästar som gnägga och andra ljud
som vi hör när vi går genom byn.

Barfota utan strumpor och skor …

3
Ett rådjur står där i skogens kant
det ser oss när vi går förbi.
Ja, sommarn har mycket mera att ge
åt din och min fantasi.

Barfota utan strumpor och skor …

Jag tror på sommaren

TEXT Stig Olin
MUSIK Stig Olin
♩ 258

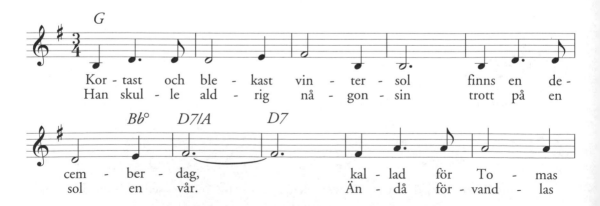

Kor - tast och ble - kast vin - ter - sol   finns en de -
Han skul - le ald - rig nå - gon - sin   trott på en

cem - ber - dag,   kal - lad för To - mas
sol   en   vår.   Än - då för - vand - las

Am7 · D7 · 1. G

Tviv - la - ren   för att hans tro var svag.
vin - tern till   som - mar vart - en - da

2. G · Refr. G

år.   Jag tror, jag tror på som - ma -

Am7 · D7 · Am7

ren. Jag tror, jag tror på sol i - gen. Jag pyn - tar

D7 · G

mig i blå kra - vatt och häl - sar dig med blom - mig

D7 · G

hatt. Jag tror på dröm om som - mar - hus med täp pa

C6 · C#dim · G/D

och med lin - dars sus, en spe - le - man med sin fi -

E7 · A7 · D7 · G

ol och luf - ten fylld av ka - pri - fol.

2

Midsommarafton natten lång,
kärlek och dans och sång.
Solen som plötsligt börjar gå
upp och ner på en gång.
Pojken med flickans hand i sin

viskar och får till svar
löften han gått och hoppats på
under det år som var.

Jag tror, jag tror på sommaren …

Vaggvisa
(Ute blåser sommarvind)

Text Samuel Hedborn
Musik Alice Tegnér
♩ 258

U - te blå - ser som - mar - vind, gö - ken gal i hö - gan lind. Mor hon går på grö - nan äng, bäd - dar bar - net blom - ster - säng, strör lång - a ra - der ut - av ros och bla - der.

2
Ängen står så gul och grön,
solen stänker guld i sjön,
bäcken rinner tyst och sval
mellan vide, asp och al.
Bror bygger dammar
åt sin såg och hammar.

3
Syster sopar stugan ren,
sätter löv i taket sen,
uppå golvet skall hon så
liljor och konvaljer små,
rosor så rara,
där skall barnet vara.

4
Skeppet gungar lätt på våg
med sitt segel, mast och tåg,
gångar sig åt främmand' land,
hämtar barnet pärleband,
kjortel av siden
skor med granna smiden.

5
Lilla gula gåsen ung,
len liksom en silkespung,
ror med modern sin i säv,
pillar vingen med sin näv,
vallherden vilar
vid sitt horn och pilar.

6
Lindorm solar sig på sten,
som ett sammet vit och len,
vill i barnets vagga gå,
med det skall han aldrig få,
han skall bli bunden
uti gröna lunden.

7
Trollet sitter vid sin vägg,
kammar ut sitt silverskägg,
sjunger vid den gråa häll:
"Liten kind, kom hit i kväll,
dig vill jag lova
under guldås sova."

8
Far han gjordar om sitt liv
sitt bälte och sin blanka kniv,
tar järnsporrar på sin sko,
rider över berg och mo,
trollet att förgöra,
som vill barnet röra.

9
Snart blir liten kind en man:
gångarn grå då sadlar han,
tager brynja, svärd och spjut,
och i kamp han rider ut,
spänner sitt bälte,
strider som en hjälte.

(För en flicka sjunges sista versen så):
Liten fager jungfru opp
växer fort som rosens knopp
virkar sen åt ungersven
kappan blå, och får igen
fästring och spänne
och gullspann på änne.

Den blomstertid nu kommer

Psalm 199

Text Israel Kolmodin,
Johan Olof Wallin, Britt G Hallqvist
Musik Folkmelodi
♩ 258

Den bloms-ter-tid nu kom-mer med lust och fäg-ring stor.
du nal-kas, lju-va som-mar, då gräs och grö-da gror.

Med blid och liv-lig vär-ma till allt som va-rit dött, sig

so-lens strå-lar när-ma, och allt blir å-ter-fött.

2
De fagra blomsterängar
och åkerns ädla säd,
de rika örtesängar
och lundens gröna träd,
de skola oss påminna
Guds godhets rikedom,
att vi den nåd besinna,
som räcker året om.

3
Man hörer fåglar sjunga
med mångahanda ljud,
skall icke då vår tunga
lovsäga Herren Gud?
Min själ, upphöj Guds ära
stäm upp din glädjesång
till den som vill oss nära
och fröjda på en gång.

4
O Jesus, du oss frälsar,
du är den svages sköld.
Dig, glädjesol, vi hälsar.
Värm upp vårt sinnes köld.
Giv kärlek åt det hjärta
som ingen kärlek får.
Vänd bort all sorg och smärta,
du vän som allt förmår.

5
Välsigna årets gröda
och vattna du vårt land.
Giv alla mänskor föda,
välsigna sjö och strand.
Välsigna dagens möda
och kvällens vilostund.
Låt livets källa flöda
ur Ordets djupa grund.

I denna ljuva sommartid

Psalm 200

Text P. Gerhardt 1653, J. von Düben 1725, C.O. Angeldorff 1855, Britt G Hallqvist 1980
Musik Nathan Söderblom
♩ 259

I den-na lju-va som-mar-tid gå ut, min själ, och gläd dig vid den sto-re Gu-dens gå-vor. Se, hur i pryd-ning jor-den står, se, hur för dig och mig hon får så un-der-ba-ra hå-vor.

2
Av rika löv är grenen full,
och jorden täckt sin svarta mull
med sköna gröna kläder.
De fagra blommors myckenhet
med större prakt och härlighet
än Salomos dig gläder.

3
Nu växer säd för skördens tid,
och ung och gammal gläds därvid
och bör Guds godhet prisa,
som vill i överdådigt mått
oss människor så mycket gott
var dag och stund bevisa.

4
När jag hör trastens glada sång,
när lärkan jublar dagen lång
högt ovan fält och backar,
då kan jag icke tiga still.
Min Gud, så länge jag är till
för livet jag dig tackar.

5
Ack, är det redan här så skönt
på denna jord, så härligt grönt,
hur skall det då ej bliva
i himmelen, där Gud berett
vad ingen här i världen sett
och ord ej kan beskriva.

6
Ack, att jag redan stode där
inför din tron, o Herre kär,
och bure mina palmer.
Jag ville då på änglars vis
instämma i ditt lov och pris
med tusen sköna psalmer.

7
Liksom ett träd i sol och regn
så låt min själ i Andens hägn
få växa alla dagar
den sommar som av nåd jag får.
Gud, låt mig bära frukt i år,
den frukt som dig behagar.

8
Behåll mig till ditt paradis,
och låt mig på de trognas vis
i dina gårdar grönska.
Låt mig få tjäna dig allen,
i trohet sann, i kärlek ren,
så vill jag mer ej önska.

Gubben Höst

TEXT Lennart Hellsing
MUSIK Trad.
♩ 259

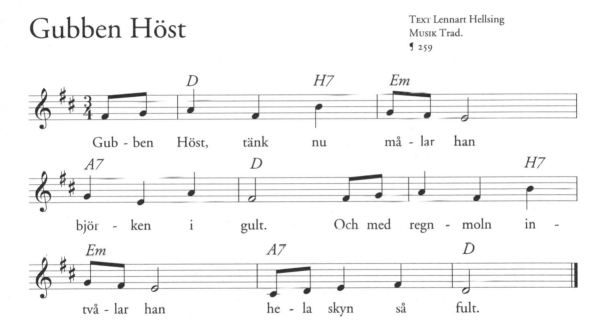

Gub - ben Höst, tänk nu må - lar han
björ - ken i gult. Och med regn - moln in -
två - lar han he - la skyn så fult.

2
Se i kinderna nyper han
blommor och allt.
Under tröjorna kryper han
och det blåser kallt.

3
Våra rosor dem tjuvar han
ner i sin säck.
Våra näsor dem snuvar han
så de springer läck.

4
Ner ur grenarna skakar han
äpplen med hast.
Hela sommaren makar han
undan med sin kvast.

5
I vår hage spatserar han
och plockar blad.
Men små svampar planterar han
på sin promenad.

Vem tar hand om hösten

Text Lars Göransson
Musik Lars Göransson
♩ 259

Vem tar hand om hös - ten när vin - tern blå - ser snål?

Vem tar hand om vin - tern un - der vå - ren?

Vem tar hand om vå - ren ef - ter val - borgs - mäs - so - bål och

vem tar hand om som - ma - ren och få - ren? Jo,

ha - ren vak - tar hös - ten när vin - tern blå - ser snål och

tom - ten vak - tar vin - tern un - der vå - ren. Och

lär - kan skö - ter vå - ren ef - ter val - borgs - mäs - so - bål och

her - den val - lar som - ma - ren och få - ren.

Nej se det snöar

Text Felix Körling
Musik Felix Körling
♩ 259

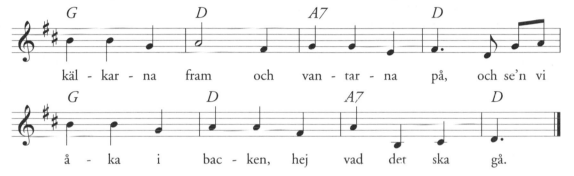

Nej, se det snö-ar, nej, se det snö-ar. Det var väl ro-ligt, hur-ra. Nu blir det
vin-ter, nu blir det vin-ter som vi har öns-kat, hur-ra. Då tar vi
käl-kar-na fram och van-tar-na på, och se'n vi
å-ka i bac-ken, hej vad det ska gå.

2
Och fram med skidan, och fram med skidan
och se'n i backarna opp.
Vi stå på näsan, vi stå på näsan
ibland när vi gör ett hopp.
Men inte lipar vi nej, det gör ingenting
om man i drivan den mjuka ett tag rullar kring.

3
Och isen ligger, och isen ligger
liksom en spegel så klar.
Och snabbt som vinden, och snabbt som vinden
en skridsko fram vi då tar.
Vi sätta rovor ibland och slå ytterskär
Hurra för vintern, för vintern som äntligt är här!

© Tryckt med tillstånd av Körlings Förlag AB, Stockholm

Adventstid

Text Carl-Bertil Agnestig
Musik Carl-Bertil Agnestig
♩ 259

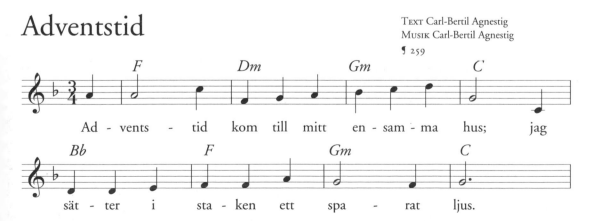

Ad-vents-tid kom till mitt en-sam-ma hus; jag
sät-ter i sta-ken ett spa-rat ljus.

Nå - got skall ske bort - om fros - tig ad - vent; jag
vän - tar en gå - va som Her - ren sänt.

2
Den gåvan är av ett helt annat slag
än gåvor vi ger till varann var dag.
Öppna din tillstängda dörr i ditt hus,
så lyser i mörkret ett litet ljus.

Lusse lelle

♩ 259

Lus - se lel - le, Lus - se lel - le, el - va nät - ter fö - re
jul. Lus - se jul. Nu ä - ro vi hit -
kom - na så näst fö - re jul. Nu jul.

2
Goder morgon härinne
både kvinna och man.
Husbonde uti huset
med sin maka i famn.

Lucia

Text K G Ossiannilsson
Musik Sven Körling
♩ 260

Him - len häng - er stjärn svart och snön lig - ger blå och
mörk - ret är så beck - mörkt och stjär - nor - na så små.
Skum - ma lig - ga sti - gar - na där män - sko - bar nen gå, och
tys - ta ru - var stu - gor - na med snö - skägg på; då
kom - ma väl de hund - ra, då kom - ma väl de tu - sen
Lus - se - knek - tar vand - ran - de kring hu - sen.

2
De vandra kring med stjärnljus de vandra kring med bloss
med masker och med narrspel, en jublande tross.
De bulta hårt på rutorna så isen går loss,
de buga sig, de bjuda sig till gästning hos oss.
De vandra kring med visor som jubla och tralla,
så backarna och skogarna de skalla.

Sankta Lucia

Text Sigrid Elmblad
Musik Teodoro Cottrau
♩ 260

Sank - ta Lu - ci - a, ljus - kla - ra häg - ring,

sprid i vår vin - ter - natt glans av din fäg - ring!

Dröm - mar med ving - e - sus un - der oss si - a,

tänd di - na vi - ta ljus Sank - ta Lu - ci - a!

Sank - ta Lu - ci - a!

2
Kom i din vita skrud
huld med din maning,
skänk oss, du julens brud,
julfröjders aning!
Drömmar med ...

3
Trollsejd och mörkermakt
ljust du betvingar,
signade lågors vakt
skydd åt oss bringar.
Drömmar med ...

4
Stjärnor, som leda oss
vägen att finna,
bli dina klara bloss,
fagra prästinna.
Drömmar med ...

Sankta Lucia

TEXT Arvid Rosén
MUSIK Teodoro Cottrau
♩ 260

1
Natten går tunga fjät
runt gård och stuva.
Kring jord som sol'n förlät,
skuggorna ruva.
Då i vårt mörka hus
stiger med tända ljus
Sankta Lucia, Sankta Lucia.

2
Natten var stor och stum.
Nu, hör, det svingar
i alla tysta rum
sus som av vingar.
Se, på vår tröskel står,
vitklädd, med ljus i hår
Sankta Lucia, Sankta Lucia.

Luciasången

TEXT Trad
MUSIK Teodoro Cottrau
♩ 260

1
Ute är mörkt och kallt.
I alla husen
lyser nu överallt
de tända ljusen.
Nu kommer någon där,
jag vet nog vem det är:
Sankta Lucia, Sankta Lucia.

2
Sjungande fram hon går
vitklädda flicka,
krona hon har i hår,
bär på en bricka.
Nu är luciadag
och jag är väldigt glad.
Tänker på julen, tänker på julen.

3
Vers 1 i repris.

Nu vaknen och glädjens

TEXT S. Hallström, E. Aulén
MUSIK Ejnar Eklöf

Nu vak - nen och gläd - jens! Lu - ci - a är här, och
nat - ten mot mor - go - nen vän - der. De skim - ran - de lju - sen i
kro - nan hon bär, och hop - pet i hjär - tat hon tän - der.

2
Välkommen du midvinterns strålande mö,
du tröstande budbärarinna!
Se livet, som höljes av frost och av snö,
skall seger ånyo dock vinna.

3
Välkommen, välkommen på nytt i vårt hus,
du ljusbrud som natten betvingar
och tänder i mörkret en strimma av ljus
och hoppet och glädjen oss bringar!

Staffan stalledräng

Staf - fan var en stal - le - dräng, stal - le - dräng, stal - le - dräng, han
vatt - na - de si - na få - lar fem, få - lar fem, få - lar fem.
Stjär - nor na de tind - ra så kla - ra. Gos - sar, låt oss lus - ti - ga va - ra.
En gång blott om å - ret så en fröj - de - full jul vi få.

2
Femte fålen appelgrå, appelgrå, appelgrå,
den rider väl Staffan själv uppå, själv uppå,
   själv uppå.
Stjärnorna de tindra så klara …

3
Nu är eld i varje spis, varje spis, varje spis,
med julegröt och julegris, julegris,
   julegris.
Stjärnorna de tindra så klara …

Staffan var en stalledräng

Staf - fan var en stal - le - dräng. Vi tac - kom nu så gär - na. Han
vatt - na' si - na få - lar fem. Allt för den lju - sa stjär - nan.
Ing - en da - ger sy - nes än, stjär - nor - na på him - me - len de
blän - ka.

2
Hastigt lägges sadeln på,
vi tackom nu så gärna,
innan solen månd uppgå.
Allt för den ljusa stjärnan.
Ingen dager synes än.
Stjärnorna på himmelen de blänka.

3
Bästa fålen apelgrå,
vi tackom nu så gärna,
den rider Staffan själv uppå.
Allt för den ljusa stjärnan.
Ingen dager synes än.
Stjärnorna på himmelen de blänka.

4
Innan någon vaknat har,
vi tackom nu så gärna,
framme han vid skogen var.
Allt för den ljusa stjärnan.
Ingen dager synes än.
Stjärnorna på himmelen de blänka.

5
I den fula ulvens spår,
vi tackom nu så gärna,
raskt och oförskräckt han går.
Allt för den ljusa stjärnan.
Ingen dager synes än.
Stjärnorna på himmelen de blänka.

6
Gamla björnen i sitt bo,
vi tackom nu så gärna,
ej får vara uti ro.
Allt för den ljusa stjärnan.
Ingen dager synes än.
Stjärnorna på himmelen de
blänka.

7
Nu är eld uti vår spis,
vi tackom nu så gärna,
julegröt och julegris.
Allt för den ljusa stjärnan.
Ingen dager synes än.
Stjärnorna på himmelen de
blänka.

8
Nu är fröjd uti vart hus,
vi tackom nu så gärna,
julegröt och juleljus.
Allt för den ljusa stjärnan.
Ingen dager synes än.
Stjärnorna på himmelen de
blänka.

Sankt Staffans visa

♩ 261

2
Två de voro röda, röda, röda
de förtjänte väl sin föda, i ra ...

3
Två de voro vita, vita, vita
de voro varann så lika, i ra ...

4
Den femte han var apelgrå, apelgrå, apelgrå
den plägade Staffan rida på, i ra ...

5
Staffan red till källarknut, källarknut, källarknut
där han var van få ölet ut, i ra ...

Goder afton, goder afton
(Julafton)

Text Alice Tegnér
Musik Alice Tegnér
♩ 261

Go - der af - ton, go - der af - ton, bå - de her - re och fru! Vi
öns - ka E - der al - la en fröj - de - full jul!

2
Goder afton, goder afton, välkommen var gäst!
Vi önska Eder alla en fröjdefull fest!

Jullov

Text Mats Winqvist
Musik Mats Winqvist
♩ 261

Jul - lov, jul - lov, av med läx - or - na. Jul - lov
jul - lov, på med pjäx - or - na. Jul - lov, jul - lov,
kul kul kul. Ju - len är kom - men bom - fal - le - ral - la.
Tom - ten är va - ken hej på dej. Tit - ta det snö - ar bom fal - le - ral - la på

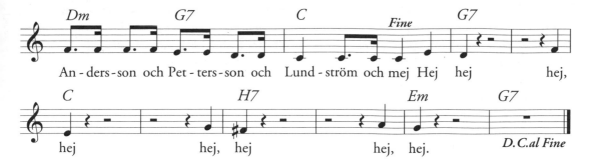

An-ders-son och Pet-ters-son och Lund-ström och mej Hej hej hej,

hej hej, hej hej, hej.

D.C.al Fine

Jul-lov, jul-lov
nerför backarna.
Jul-lov, jul-lov
jo, jag tackar ja.
jul-lov, jul-lov
kul, kul, kul.

Julen är kommen bom-falle-ralla …

Jul-lov, jul-lov
snön kring kälken yr,
jul-lov, jul-lov
titta hur du styr.
jul-lov, jul-lov
kul, kul, kul.

Julen är kommen bom-falle-ralla …

Raska fötter springa, tripp, tripp, tripp

TEXT Sigrid Sköldberg-Pettersson
MUSIK Emmy Köhler
♩ 261

(Liten julvisa)

Ras-ka föt-ter spring-a tripp, tripp, tripp! Mam-ma har så brått-om

klipp, klipp, klipp! Ju-le-klap-par lac-kas in. Dör-ren stängs för nä-san

din. Det är ba-ra ro-ligt.

Pappa har gått ut i sta'n, sta'n, sta'n;
köper där en präktig gran, gran, gran.
Den skall hängas riktigt full,
först en stjärna utav gull,
nötter sen och äpplen.

3
Se, nu är ju allting klart, klart, klart.
Barnen rusa in med fart, fart, fart.
Vem står där i pappas rock?
Jo, det är vår julebock.
Han har säkert klappar.

4
Alla barnen ropa: »Ack, ack, ack!
Snälla rara pappa, tack, tack, tack!»
Margit får en docka stor.
Gungehäst får lille bror.
Stina får en kälke.

5
Snart är glada julen slut, slut, slut.
Julegranen bäres ut, ut, ut.
Men till nästa år igen
kommer han, vår gamle vän,
ty det har han lovat.

Julpolska

TEXT Rafael Hertzberg
MUSIK Johanna Ölander
♩ 261

Nu ha vi ljus här i vårt hus. Ju-len är kom-men, hopp, tra-la-la-la!

Bar-nen i ring dan-sa om-kring, dan-sa om-kring.

Gra-nen står så grön och grann i stu-gan, gra-nen står så grön och grann i stu-gan.

Tra-la-la-la-la, tra-la-la-la-la, tra-la-la-la-la la-la.

2
Kom lilla vän, kom nu igen!
Dansa kring granen, hopp, tralalala!
Glädjen är stor.
Syster och bror, syster och bror,
‖: pappa, mamma, alla går i dansen. :‖
Tralalalala, tralalalala, Tralalalala lala.

3
Kom, ta en sväng! Klappar i mängd
julbocken hämtat, hopp tralalala!
Lutfisk och gröt,
tårta så söt, tårta så söt
‖: få vi sedan, när vi tröttnat dansa :‖
Tralalalala, tralalalala, Tralalalala lala.

Nu så är det jul igen

(Kring julgranen)

TEXT Alice Tegnér
MUSIK Alice Tegnér
♩ 261

2
Kära jul, välkommen, välkommen till jorden!
Nu den långa hösten är slut för i år.
Med dig kommer snön och lyser upp Norden,
sen så får vi påska, och då blir det vår.

3
Och så kommer sommaren, då grönt är i skogen,
smultronen, de rodna och åkern blir gul.
Men i höst, då skörden är inkörd på logen,
då vi önska åter: »Ack, vore det jul!»

Tomtarnas julnatt

Text Alfred Smedberg
Musik Vilhelm Sefve
♩ 261

Mid - natt rå - der, tyst det är i hu - sen, tyst i hu - sen.
Al - la so - va, släck - ta ä - ro lju - sen, ä - ro lju - sen.
Tipp tapp, tipp tapp, tip - pe, tip - pe tipp tapp, tipp, tipp, tapp.

2
Se då krypa tomtar upp ur vrårna, upp ur vrårna,
lyssna, speja, trippa fram på tårna, fram på tårna.
Tipp tapp …

3
Snälla folket låtit maten rara, maten rara
stå på bordet åt en tomteskara, tomteskara.
Tipp tapp …

4
Hur de mysa, hoppa upp bland faten, upp bland faten,
tissla, tassla: "God är julematen, julematen!"
Tipp tapp …

5
Gröt och skinka, lilla äppelbiten, äppelbiten,
tänk så rart det smakar Nisse liten, Nisse liten.
Tipp tapp …

6
Nu till lekar! Glada skrattet klingar, skrattet klingar,
runt om granen skaran muntert svingar, muntert svingar.
Tipp tapp …

7

Natten lider. Snart de tomtar snälla, tomtar snälla,
kvickt och näpet allt i ordning ställa, ordning ställa.
Tipp tapp …

8

Sedan åter in i tysta vrårna, tysta vrårna,
tomteskaran tassar nätt på tårna, nätt på tårna.
Tipp tapp …

Tre pepparkaksgubbar

Text Astrid Forsell-Gullstrand
Musik Alice Tegnér
♩ 262

Vi komma, vi komma från Pepparkake-
land, och vägen vi vandrat tillsamman hand i hand. Så
bruna, så bruna vi äro alla tre, ko-
rinter till ögon och hattarna på sne'.

2

Tre gubbar, tre gubbar från Pepparkakeland,
till julen, till julen vi komma hand i hand.
Men tomten och bocken vi lämnat vid vår spis,
de ville inte resa från vår pepparkakegris.

Mössens julafton

Text Alf Prøysen, övers Ulf Peder Olrog
Musik Ulf Peder Olrog
♩ 262

När nät-ter-na blir lång-a och köl-den sät-ter in, tar

Mam-ma Mus och sam-lar he-la bar-na-ska-ran sin. Hon vi-sar se'n på fäl-lan: "Ni

ak-tar er för den, så får vi al-le-sam-mans fi-ra jul i-gen".

Hej-san, hopp-san fal-le-ral-le-ra! När ju-len kom-mer ska var-en-da

ung-e va-ra gla'! Hej-san, hopp-san fal-le-ral-le-ra! När

ju-len kom-mer ska var-en-da ung-e va-ra gla'!

2
Och mamma Mus är flitig,
hon hämtar en bit kol
och svärtar tak och väggar i
sitt lilla musehål.
För nere uti källar'n
har mössen sitt krypin,
där städar barna' skrymslena
med svansen sin.
Hejsan, hoppsan...

3
Till slut så kommer kvällen
som alla väntar på
och pappa Mus han letar fram
en stövel utan tå.
Den har dom se'n till julgran
och pryder den så fint
med spindelväv i gult och blått
och gredelint.
Hejsan, hoppsan...

4
Var unge får till julklapp en
liten liten nöt,
den gnider dom med kola-
papper, så att den blir söt.
Från skafferiet tar dom en
fläskbit eller två,
och den får allesammans lov
att lukta på.
Hejsan, hoppsan...

5
Och gamla Mormor Mus
hon har också kommit ner,
och hennes gungstol gungar
takt, när som hon dansen ser
D' är ingen riktig gungstol,
för som ni alla vet,
så sitter hon och gungar på en
stor potät.
Hejsan, hoppsan…

6
Dom hoppar och dom dan-
sar och trallar så en stund,
tills Pappa Mus han säger:
"Nej, nu tar vi oss en blund."
Och barna' går till sängs
medan pappan håller vakt,
och snart så snarkar allihop i
schottistakt.
Hejsan, hoppsan…

7
Men gamla Mormor gäspar
och säger liksom så,
att julen den är roligast för
alla som är små.
Om ingen går i fällan och
aktar sig för den,
ska alla nästa år få fira jul
igen.
Hejsan, hoppsan…

Hej, tomtegubbar

♩ 262

Hej, tom-te-gub-bar, slå i gla-sen och låt oss lus-ti-ga va-ra!

Hej, tom-te-gub-bar, slå i gla-sen och låt oss lus-ti-ga va-ra! En

li-ten tid vi le-va här med myck-en mö-da och stort be-svär.

Hej, tom-te-gub-bar, slå i gla-sen och låt oss lus-ti-ga va-ra.

Ett barn är fött på denna dag

Psalm 126

Text efter Martin Luther
Musik Trad
♩ 262

Ett barn är fött på den - na dag, så var Guds väl - be -
föd - des av en jung - fru skär, Guds Son det bar - net

1. hag. Det är.
2. Här vi - lar Du i

ring - het klädd på fat - tig - do - mens bädd. Väl -

kom - men var, o, Her - re kär! Vår gäst Du vor - den är.

2
Om världen ännu större var,
av guld och pärlor klar,
så vore den dock alltför klen
till säng åt Dig allen.

Här vilar Du i ringhet klädd
på fattigdomens bädd.
Välkommen var, o, Herre kär!
Vår gäst Du vorden är.

Vaggsång

Text Britt G. Hallqvist
Musik Bertil Hallin
♩ 262

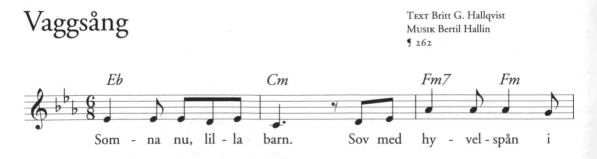

Som - na nu, lil - la barn. Sov med hy - vel - spån i

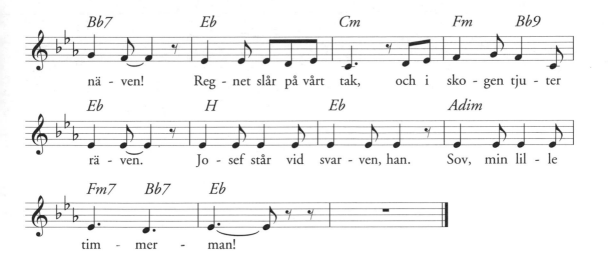

näven! Reg - net slår på vårt tak, och i sko - gen tju - ter

rä - ven. Jo - sef står vid svar - ven, han. Sov, min lil - le

tim - mer - man!

2
Bänk och bord timrar du
åt din mor en gång i tiden.
Gå ej bort, lille vän!
Stanna här i hemmafriden
  Josef står vid svarven, han.
  Stanna, lille timmerman!

3
Kan jag tro ängelns ord?
Kan jag tro på kungagåva?
Du är lik andra barn,
  gosse, när jag ser dig sova.
  Somna, lille timmerman.
  Glöm din stjärna om du kan!

När det lider mot jul

TEXT Jeanna Oterdahl
MUSIK Ruben Liljefors
♩ 262

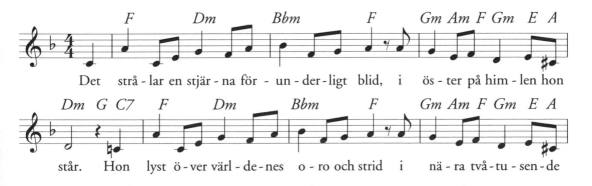

Det strå - lar en stjär - na för - un - der - ligt blid, i ös - ter på him - len hon

står. Hon lyst ö - ver värl - de - nes o - ro och strid i nä - ra två - tu - sen - de

år. När da-gen blir mörk och när snön fal-ler vit då skri-der hon närm-re, då

kom - mer hon hit och då vet man att snart är det jul.

2

Ty julen är härlig för stora och små,
är glädje och ljuvaste frid,
är klappar och julgran och ringdans också,
är lycka oändligen blid,

är ljus, allas ögon då stråla som bäst
och stjärnorna tindra som mest,
och där ljuset är, där är det jul.

Stilla natt, heliga natt

Psalm 114

TEXT Joseph Mohr, övers. T. Fogelqvist
MUSIK Franz Gruber
♩ 263

Stil - la natt, he - li-ga natt! Allt är frid. Stjär - nan blid

ski - ner på bar - net i stal - lets strå och de va - kan-de from - ma två.

Kris - tus till jor - den är kom - men. Oss är en fräl - sa - re född.

2
Stora stund, heliga stund
Änglars här slår sin rund
kring de vaktande herdars hjord,
rymden ljuder av glädjens ord:
Kristus till jorden är kommen.
Eder är Frälsaren född.

3
Stilla natt, heliga natt.
Mörkret flyr, dagen gryr.
Räddningstimman för världen slår,
nu begynner vårt jubelår.
Kristus till jorden är kommen.
Oss är en frälsare född

92

Bereden väg för Herran

Psalm 103

Text Frans Michael Franzén
Musik Folkmelodi
§ 263

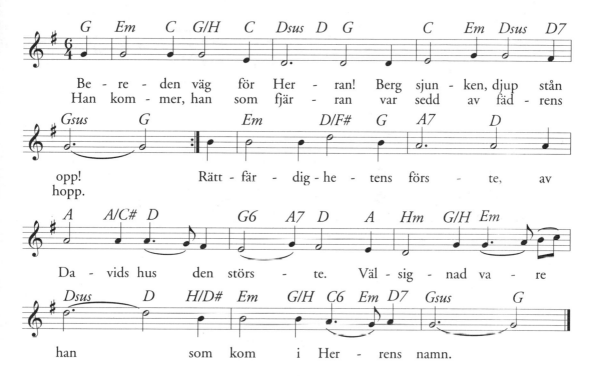

Be - re - den väg för Her - ran! Berg sjun - ken, djup stån
Han kom - mer, han som fjär - ran var sedd av fäd - rens

opp!
hopp.

Rätt - fär - dig - he - tens förs - te, av

Da - vids hus den störs - te. Väl - sig - nad va - re

han som kom i Her - rens namn.

2
Guds folk, för dig han träder
en evig konung opp.
Strö palmer, bred ut kläder,
sjung ditt uppfyllda hopp.
Guds löften äro sanna,
nu ropa: Hosianna!
Välsignad vare han
som kom i Herrens namn.

3
Gör dina portar vida
för Herrens härlighet.
Se, folken kring dig bida
att nå din salighet.
Kring jordens länder alla
skall denna lovsång skalla:
Välsignad vare han
som kom i Herrens namn.

4
Ej kommer han med härar
och ej med ståt och prakt;
dock ondskan han förfärar
i all dess stolta makt.
Med Andens svärd han strider
och segrar, när han lider.
Välsignad vare han
som kom i Herrens namn.

5
O folk, från Herren viket
i syndig lust och flärd,
giv akt, det helga riket
ej är av denna värld,
ej av dess vise funnet,
ej av dess hjältar vunnet.
Välsignad vare han
som kom i Herrens namn.

6
Den tron, som han bestiger,
är i hans Faders hus.
Det välde han inviger
är kärlek blott och ljus.
Hans lov av späda munnar
blott nåd och frid förkunnar.
Välsignad vare han
som kom i Herrens namn.

Hosianna, Davids son

Psalm 105

TEXT Matt 21:9
MUSIK Georg Joseph Vogler
♩ 263

Ho - si - an - na, Da - vids Son, väl - sig - nad va - re han, väl -

sig - nad Da - vids Son, som kom - mer i Her - rens namn.

Ho - si - an - na i höj - den, ho - si - an - na, ho - si - an - na. Väl -

sig - nad Da - vids Son, som kom - mer i Her - rens namn.

Nu tändas tusen juleljus

Psalm 116

TEXT Emmy Köhler
MUSIK Emmy Köhler
♩ 263

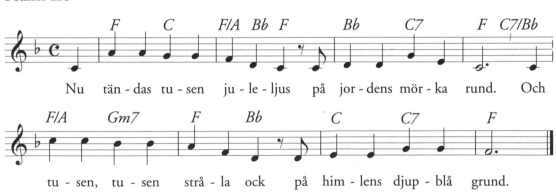

Nu tän - das tu - sen ju - le - ljus på jor - dens mör - ka rund. Och

tu - sen, tu - sen strå - la ock på him - lens djup - blå grund.

2
Och över stad och land i kväll
går julens glada bud
att född är Herren Jesus Krist,
vår Frälsare och Gud.

3
Du stjärna över Betlehem,
o, låt ditt milda ljus
få lysa in med hopp och frid
i varje hem och hus.

4
I varje hjärta armt och mörkt
sänd du en stråle blid,
en stråle av Guds kärleks ljus
i signad juletid.

Var hälsad, sköna morgonstund

Psalm 119

Text Johan Olof Wallin
Musik Philip Nicolai
♩ 263

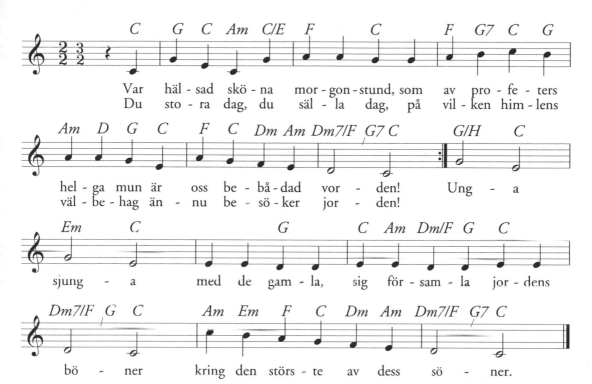

Var häl-sad skö-na mor-gon-stund, som av pro-fe-ters
Du sto-ra dag, du säl-la dag, på vil-ken him-lens

hel-ga mun är oss be-bå-dad vor-den! Ung-a
väl-be-hag än-nu be-sö-ker jor-den!

sjung-a med de gam-la, sig för-sam-la jor-dens

bö-ner kring den störs-te av dess sö-ner.

..2	..3	..4
Guds väsens avbild, och likväl	Han tårar fälla skall som vi,	Han kommer, till vår frälsning
en mänskoson, på det var själ	förstå vår nöd och stå oss bi	sänd,
må glad till honom lända,	med kraften av sin Anda,	och nådens sol, av honom
han kommer, följd av frid och	förkunna oss sin Faders råd	tänd,
hopp,	och sötman av en evig nåd	skall sig ej mera dölja.
de villade att söka opp	i sorgekalken blanda,	Han själv vår herde vara vill,
och hjälpa de elända,	strida,	att vi må honom höra till
värma,	lida	och honom efterfölja,
närma	dödens smärta,	nöjda,
till varandra	att vårt hjärta	höjda
dem som vandra	frid må vinna	över tiden,
kärlekslösa	och en öppnad himmel finna.	och i friden
och ur usla brunnar ösa.		av hans rike
		en gång varda honom like.

När juldagsmorgon glimmar

Psalm 121

TEXT Abel Burckhardt
MUSIK Trad
♩ 264

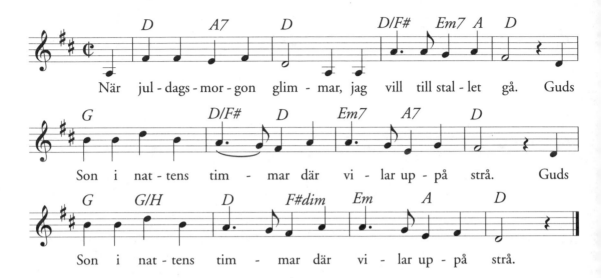

När jul-dags-mor-gon glim-mar, jag vill till stal-let gå. Guds

Son i nat-tens tim-mar där vi-lar up-på strå. Guds

Son i nat-tens tim-mar där vi-lar up-på strå.

2
Välkommen hit till jorden
i signad juletid!
‖: Du är vår konung vorden
som ger oss ljus och frid. :‖

3
Till dig vårt lov vi höjer,
du barn i krubban där,
‖: och våra knän vi böjer
för dig, o Jesus kär. :‖

Gläns över sjö och strand

Psalm 134

Text Viktor Rydberg
Musik Alice Tegnér
¶ 264

Gläns ö-ver sjö och strand, stjär-na ur fjär-ran, du som i Ö-ster-land tän-des av Her-ran. Stjär-nan från Bet-le-hem le-der ej bort, men hem. Bar-nen och her-dar-na föl-ja dig gär-na, strå-lan-de stjär-na, strå-lan-de stjär-na.

2

Natt över Judaland,
natt över Sion.
Borta vid västerrand
slocknar Orion.
Herden, som sover trött,
barnet, som slumrar sött,
vakna vid underbar
korus av röster,
skåda en härligt klar
stjärna i öster;

3

gånga från lamm och hem,
sökande Eden.
Stjärnan från Betlehem
visar dem leden
fram genom hindrande
jordiska fängsel
‖: hän till det glindrande
lustgårdens stängsel. :‖

4

Armar där sträckas dem,
läppar där viska,
viska och räckas dem,
ljuva och friska:
Stjärnan från Betlehem
leder ej bort, men hem.
Barnen och herdarna
följa dig gärna,
‖: strålande stjärna. :‖

Djur och natur

Blåsippor

Text Anna Maria Roos
Musik Alice Tegnér
♩ 264

Blå-sip-pan u-te i bac-kar-na står, ni-ger och sä-jer. "Nu är det vår"

Bar-nen de ploc-ka små sip-por-na glatt, ru-sa sen hem un-der rop och skratt.

2

»Mor, nu är våren kommen, mor!
Nu får vi gå utan strumpor och skor.
Blåsippor ute i backarna stå,
ha varken skor eller strumpor på.»

3

Mor i stugan, hon säger så:
»Blåsippor aldrig snuva få.
Än få ni gå med strumpor och skor,
än är det vinter kvar», säjer mor.

Videvisan

Text Zacharias Topelius
Musik Alice Tegnér
♩ 264

Sov, du lil-la vi-de ung, än så är det vin-ter,

än så so-va björk och ljung, ros och hy-a-cin-ter.

Än så är det långt till vår in-nan rönn i blom-ma står.

Sov, du lil-la vi-de, än så är det vin-ter.

2
Solskensöga ser på dig
solskensfamn dig vaggar.
Snart blir grönt på skogens stig,
och var blomma flaggar.
Än en liten solskensbön,
vide liten blir så grön.
Solskensöga ser dig,
solskensfamn dig vaggar.

Ask

Text Lena Anderson
Musik Kerstin Andeby
♩ 264

Vi har en ask, den är minst hund-ra år den blir ba-ra

hög-re ju mer ti-den går, och

jag har en gung-a på lägs-ta gre-nen, där

sit-ter jag of-ta och ding-lar med be-nen.

Blåklint

Text Lena Anderson
Musik Kerstin Andeby
♩ 264

Blått är mitt hår - band, blå är min kjol,

blå - a är blå - bär, blå är vi - ol.

Ha - vet är blått och him - len är blå, men

blå - ast av allt är nog blå - klint än - då.

Ek

Text Lena Anderson
Musik Kerstin Andeby
♩ 265

Högt upp i ek - en må du tro har jag ett e - get som - mar - bo,

där har jag ock - så någ - ra vän - ner, (vissling)

dom är det ba - ra jag som kän - ner, (vissling)

Humle

Text Lena Anderson
Musik Kerstin Andeby
♩ 265

Hum - len klätt - rar så vild och så to - kig, slår knut på sig själv och blir

all - de - les kro - kig. Den hål - ler sig fast i mins - ta grej,

och om jag satt still tog den nog tag i mej. Den

sling - rar och väx - er som - ma - ren lång och vårt pa - ra - soll blev en hel hum - le - stång.

Sen får den kot - tar, ljus - grö - na fi - na, dom bru - kar jag häng - a

i ö - ro - nen mi - na.

© Text: Lena Anderson. Musik: Musikrummet

Rönn

TEXT Lena Anderson
MUSIK Kerstin Andeby
♩ 265

Hm   F#   Hm   F#7   Em7

In‑te vet jag om det kan va‑ra sant, men så här sa i al‑la fall en

A7   D   G/D   A/D   G/D   D   G/D

tant: ”Det blir ex‑tra kallt när vin‑tern är här om rön‑nen har o‑van‑ligt

A/D   D7   G   A7   D   Hm7

rik‑ligt med bär! Då är det säk‑rast med dubb‑la lu‑vor

Em7   A7   D   G   A7

om man vill slip‑pa mid‑vin‑ter‑snu‑vor, ja då är det säk‑rast med

F#m7   H7   Em7   A7   D

dubb‑la lu‑vor om man vill slip‑pa mid‑vin‑ter‑snu‑vor.”

Kantareller

Text Jeanna Oterdahl
Musik Herman Palm
♩ 265

Har du sett herr Kan-ta-rell, bor i e-ne-bac-ken?

Han kom dit i förr-går kväll med sin hatt på nac-ken.

Den är gul och den är grann, pas-sar just en så-dan man,

pas-sar åt herr Kan-ta-rell bort i e-ne-bac-ken.

2
Har du sett fru Kantarell
i den gula kjolen?
Hon är rund och glad och snäll,
skiner rätt som solen.
Jämt hon har ett rysligt fläng,
tidigt uppe, sent i säng.
Alltid glad, fru Kantarell
i den gula kjolen

3
Alla barnen Kantarell,
hundra visst och mera,
krupit upp ur gräsets fäll
och bli ständigt flera.
Alla knubbiga och små
med små gula koltar på
komma barnen Kantarell,
hundra visst och mera.

Plocka svamp

Text Felix Körling
Musik Felix Körling
♩ 265

Kom med, nu ska vi gå ut på tramp, gå ut på tramp, gå ut på tramp. Tag korg och kniv, vi ska ploc - ka svamp, ska ploc - ka svamp, ska ploc - ka svamp. Det är så ro - ligt i sko - gen gå, i sko - gen gå, i sko - gen gå och le - ta rätt på de svam - par små, svam - par små.

2

Karl Johan står där så kort och tjock,
så kort och tjock, så kort och tjock,
med mörkbrun hätta och snövit rock,
och snövit rock, och snövit rock.
Grönkremla, smörsopp och champinjon,
och champinjon, och champinjon,
och fjällskivling stolt som en hög baron,
hög baron.

3

Där har vi taggsvamp och kantarell,
och kantarell, och kantarell,
och flugsvamp, nej, han är inte snäll,
är inte snäll, är inte snäll.
Nu har vi korgarna fulla fått,
vi fulla fått, vi fulla fått,
nu lagar mamma oss något gått,
riktigt gott.

Alla fåglar kommit ren

Text A H Hoffman von Fallersleben
Musik Trad.
♩ 265

Al - la fåg - lar kom - mit ren, vå - rens gla - da gäs - ter.
Vil - ken fröjd i so - lens sken, vil - ka sång - ar - fes - ter!

Lär - kan dril - lar högt i sky, vå - ren är ju e - vigt ny.

Jor - dens hög - tid bör - jar gry, spri - der fröjd åt al - la.

2

Vilken glädje, hör ack hör!
Nätt och lätt de trippa.
Gök och trast och siskors kör
väcka upp var sippa.
Dig de önska sommarfröjd,
jubla högt i himmelshöjd.
Skogen står så grön och fröjd
ljuder från var klippa.

3

Vad de oss förkunna må
lägga vi på minnė.
Mulna dar nog återstå,
töcken för vårt sinne.
Vi som luftens fåglar små
utan världssorg leva må.
Han som våren skänkt också
ger oss sorgfritt sinne.

Gåsa, gåsa, klinga

Gå-sa, gå-sa, kling - a. Län mig di-na ving - ar. Vart ska vi fly - ga? Till
ro - sen-de lund. Där bor gö - ken, där gror lö - ken,
där byg-ger sva - lan, där är så gott att va - ra. Där sit-ta gum - mor och
spe-la på gull-trum - mor, där sit-ta gub - bar och spe-la på gull-stub - bar,
där sit-ta dräng - ar och spe-la på gull-sträng - ar, där sit-ta pi - gor och
spe-la på gull-gi - gor. Där sit-ta snäl-la barn och le-ka med gull-äpp - len.
Där sit-ter du och där sit-ter jag.

Bä, bä, vita lamm

Text Alice Tegnér
Musik Alice Tegnér
♩ 265

"Bä, bä, vi-ta lamm, har du nå-gon ull?" "Ja, ja, kä-ra barn,

jag har säc-ken full. Helg-dags-rock åt far och sön-dags-kjol åt

mor och två par strum-por åt lil-le, lil-le bror."

Ekorr'n satt i granen

Text Alice Tegnér
Musik Alice Tegnér
♩ 266

Ek-orr'n satt i gra-nen, skul-le ska-la kot-tar, fick han hö-ra bar-nen,

då fick han så brått-om. Hop-pa' han på tal-le-gren,

stöt-te han sitt lil-la ben och den lång-a lud-na svan-sen.

Lilla snigel

Lil - la sni - gel, ak - ta dej, ak - ta dej,

ak - ta dej. an - nars tar jag dej.

Vem krafsade på dörren?

TEXT Britt G Hallqvist
MUSIK Laci Boldemann
♩ 266

Vem kraf - sa - de på dör - ren? Det var min lil - la hund som

vil - le lig - ga i min säng en li - ten, li - ten stund.

2
Vem jamade på trappan?
Det var min lilla katt
som inte gärna ville bli
en ensam katt i natt.

3
Vem kacklade vid knuten?
Det var min lilla tupp.
Han var så rädd för räv och hök.
Jag måste låsa upp.

4
Nu ligger vi och pratar
tillsammans i min bädd,
och alla har det varmt och skönt,
och ingen alls är rädd.

Tänk om jag hade en liten apa

Tänk om jag ha - de en li - ten, li - ten a - pa,

um - pa, um - pa fal - le - ra - le - rej.

Tänk vad fol - ket skul - le stå och ga - pa,

um - pa, um - pa fal - le - ral - le - rej.

In - te på mej men på min lil - la a - pa,

um - pa, um - pa fal - le - ral - le - rej. Nej,

in - te på mej men på min lil - la a - pa,

um - pa, um - pa fal - le - ral - le - rej.

Jonte Myra

Text Herbert Brander
Musik Olle Widestrand
♩ 266

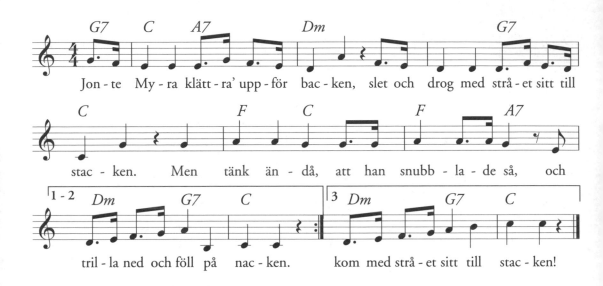

Jon - te My - ra klätt - ra' upp - för bac - ken, slet och drog med strå - et sitt till

stac - ken. Men tänk än - då, att han snubb - la - de så, och

1 - 2 tril - la ned och föll på nac - ken. 3 kom med strå - et sitt till stac - ken!

2

Jonte Myra klättra' uppför backen
om igen med strået sitt till stacken.
Men tänk ändå, att han halkade så,
och trilla' ned och föll på nacken.

3

Jonte Myra klättra' uppför backen
om igen med strået sitt till stacken.
Och tänk ändå att han lyckades så
och kom med strået sitt till stacken!

Balladen om den kaxiga myran

Text Stefan Demert
Musik Stefan Demert
♩ 266

Jag upp - stäm - ma vill min ly - ra, fast det blott är en gi - tarr, och be-

rät - ta om en my - ra som gick ut att le - ta barr. Han gick ut i mor - gon-

di - set se'n han druc - kit sin chok - lad och för - svann i ling - on - ri - set bå - de

mätt och nöjd och glad, bå - de mätt och nöjd och glad.

2
Det var långan väg att vandra,
det var långt till närmsta tall.
Han kom bort ifrån dom andra
men var glad i alla fall.
Femti meter ifrån stacken,
just när solnedgången kom,
hitta han ett barr på backen
‖: som han tyckte mycket om. :‖

3
För att lyfta fick han stånka,
han fick spänna varje lem,
men så började han kånka
på det fina barret hem.
När han gått i fyra timmar
kom han till en ölbutelj,
han såg allting som i dimma,
‖: bröstet hävdes som en bälg. :‖

4
Den låg kvar sen förra lördan.
– Jag ska släcka törsten min,
tänkte han och lade bördan
utanför och klättra in.
Han drack upp den sista droppen
som fanns kvar i den butelj.
Sedan slog han sig för kroppen
‖: och skrek ut: –Jag är en älg! :‖

5
– Ej ett barr jag drar till tjället
nu så ska jag tamigfan
lämna skogen och istället
vända uppochner på stan.
Men han kom aldrig till staden
något spärrade hans stig,
en koloss där låg bland bladen,
‖: och vår myra hejdar sig. :‖

6
Den var hiskelig att skåda,
den var stor och den var grå,
och vår myra skrek: Anåda
om du hindrar mig att gå!
Han for ilsken på kolossen
som låg utsträckt i hans väg.
Men vår myra kom ej loss sen
‖: han satt fast som i en deg. :‖

7
Sorgligt slutar denna sången.
Myran stretade och drog,
men kolossen höll'en fången
tills han svalt ihjäl och dog.
Undvik alkoholens yra:
Du blir stursk, men kroppen loj
och om du är född till myra
‖: –brottas aldrig med ett TOY! :‖

Ville Valross

Text: K G Larsson
Musik: Björn Clarin
♩ 266

Hej, Vil-le Val-ross, hur mår du, och säj hur mår din fe-ta fru?

Och al-la di-na ung-ar små, säj hur kan dom väl må?

2
Jo, jag mår prima, ska ni tro
på Nordpolen är det skönt att bo.
Luften är ren och vattnet klart,
och sillen kommer snart.

3
Men hör du, Ville överallt
är bara is och snö och kallt.
Längtar du inte bort ibland
till söderns varma strand?

4
Nej, här är lugn och här är ro
på Nordpolen är skönt att bo.
Luften är ren och vattnet klart,
och sillen kommer snart.

5
Hej, Ville Valross och ajöss,
nu är det dags att gå till sjöss.
Hälsa till frun och ungarna,
vi ses igen nån da´.

Jag är en liten undulat

Text Bengt Nordström
Musik Jules Sylvain
♩ 266

Jag är en li-ten un-du-lat som fått för då-ligt med mat, för dom jag

bor hos, för dom jag bor hos dom är så snå-la. Dom ger mig

sill var-en-da dag och det vill jag in-te ha, för jag vill ba-ra, för jag vill ba-ra ha Co-ca-Co-la och glass.

Klättermusvisan

Text: Thorbjørn Egner,
övers Ulf Peder Olrog och Håkan Norlén
Musik Christian Hartmann
♩ 267

Det var en gång en mus och den mu-sen het-te Klas, och han blev all-tid bju-den när det var stort ka-las. Det bäs-ta som han viss-te, det var att la-ta sej. Nu tar nog ing-en mis-te: Det hand-lar ju om mej. Fa-de-rul-lan-lej.

2

De andra samla nötter
och har i sina hus,
men jag har inget hus och
är ingen sparsam mus.
Jag går till mina vänner,
de säger inte nej.
för om jag rätt dem känner
så delar de med mej.
Faderullanlej.

3

De bjuder mig på middag,
då ropar jag hurra,
för jag vill gärna äta,
sjunga och vara glad.
Det är så skönt att leva
när man får roa sej
men arbeta och sträva,
det roar inte mej.
Faderullanlej.

Pepparkakebagarens visa

Text: Thorbjörn Egner,
övers. Ulf Peder Olrog och Håkan Norlén
Musik: Christian Hartmann
♩ 267

När som pep - par - ka - ke - ba - garn ba - kar pep - par - ka - kor tar han ner från

skå - pet störs - ta gry - tan och ett ki - lo mar - ga - rin, det ska

smäl - tas, in - te bry - nas, så när bubb - lor bör - jar sy - nas ska man

blan - da mar - ga - ri - net med ett ki - lo ljust fa - rin.

2

Uti grytan margarinet
rörs tillsammans med farinet,
åtta äggulor och sedan
drygt ett kilo vetemjöl.

Sist en teskad peppar strör man
ner i grytan, och så rör man.
Sedan hälles hela degen
på ett bakbord utan söl.

Visan om Bamsefars födelsedag

TEXT: Thorbjörn Egner,
övers. Ulf Peder Olrog och Håkan Norlén
MUSIK: Thorbjörn Egner
♩ 267

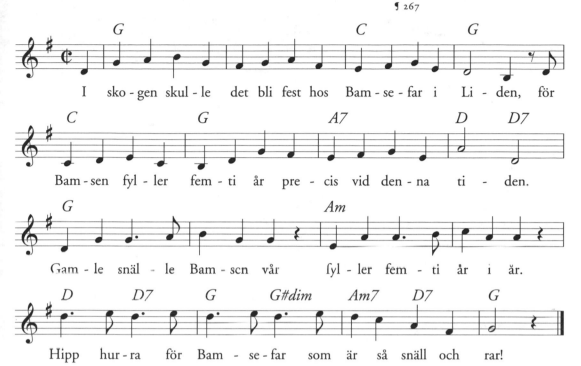

I sko-gen skul-le det bli fest hos Bam-se-far i Li-den, för
Bam-sen fyl-ler fem-ti år pre-cis vid den-na ti-den.
Gam-le snäl-le Bam-sen vår fyl-ler fem-ti år i år.
Hipp hur-ra för Bam-se-far som är så snäll och rar!

2
Dagen kom med fågelsång
det var en hel orkester
och Bamsen hälsade så fint
på alla sina gäster:
– Detta gick ju riktigt bra
hjärtligt tack det ska ni ha.
Hipp hurra för Bamsefar
som är så snäll och rar.

3
Och mössen ger åt Bamsefar
en randig slickepinne.
– Den kan du slicka på i vinter
när du sitter inne.
Den ska farbror Bamsen ha
den ska smaka väldigt bra.
Hipp hurra för Bamsefar
som är så snäll och rar.

4
Och Jösse Bagare kom dit
med mycket mycket mera
med fyra krukor blåbärssylt
för att få gratulera.
– Blåbärssylt ska Bamsen ha,
blåbärssylt som smakar bra!
Hipp hurra för Bamsefar
som är så snäll och rar.

5
Den stora älgen reste sej
och det blev tyst kring bordet,
Det här blir nog ett vackert tal
för nu har älgen ordet:
– Kära gamla Bamsen vår,
du blir femti år i år!
Hipp hurra för Bamsefar
som är så snäll och rar.

6
Och alla djuran klappa' för
de väldigt fina orden
och räven grät en liten tår.
Man reste sej kring borden.
– Gamla snälla Bamseman
bästa björn i detta land!
Hipp hurra för Bamsefar
som är så snäll och rar.

7
Men Jösse Bagare han sa:
– Nu sover hedersgästen.
Och då förstod ju var och en
att det var slut på festen.
– Det har vart en härlig dag!
Tusen tack ska Bamsen ha.
Hipp hurra för Bamsefar
som är så snäll och rar.

Teddybjörnen Fredriksson

Text Lars Berghagen
Musik Lars Berghagen
♩ 267

För läng-e-se'n när jag fyll-de fy-ra år fick jag en gå-va av min far. En fin pre-sent när jag fyll-de fy-ra år som jag se'n så läng-e ha-de kvar. Ted-dy-björ-nen Fred-riks-son ja, så het-te han. En gång va' han ba-ra min och vi äls-ka-de va-rann. Ted-dy-björ-nen Fred-riks-son hans nos den var av garn. Ja, han var min bäs-te vän när jag va' ett li-tet barn.

2
Och varje kväll va' han så go' och mjuk,
då värmde han min säng så varm.
Han va' så snäll en gång när jag blev sjuk
så fick jag sova på hans arm.

Teddybjörnen Fredriksson ...

3
Men åren gick, jag glömde bort min vän.
Nu e' jag gift och har ett barn.
Och så i går när hon fyllde fyra år
fick hon en teddybjörn av sin far.

Teddybjörnen Fredriksson …

Bamses signaturmelodi

TEXT Rune Andréasson
MUSIK Sten Carlberg
♩ 267

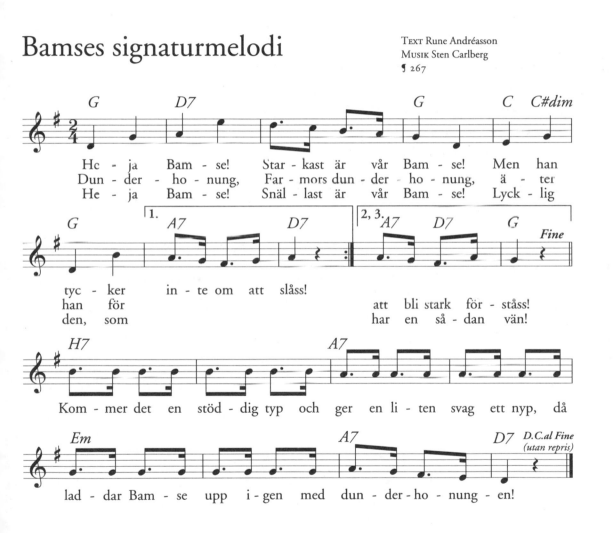

Okända djur

Text Beppe Wolgers
Musik Olle Adolphson
♩ 267

På dom förs - ta löv som sing - lar sit - ter små - djur och det hörs ett e - vigt

fnit - ter. Dom hål - ler fast i lö - vens kan - ter i

vin - dens kast och dom fles - ta är tan - ter. Men an - nars skul - le lö - ven in - te

gung - a. Dom fnitt - rar myc - ket men kan in - te sjung - a.

När det vå - ta reg - net fal - ler hop - par små djur upp på al - la vat - ten

drop - par. Dom stic - ker hål på drop - par - nas hin - na och

sä - ger. "Skål!" och blir små - ning - om stin - na. Men an - nars skul - le reg - net in - te

plas - ka. Dom he - ter plu - ver, kom - mer från A - las - ka.

Du tror in - te på det här, el - ler hur? Men vi - san hand - lar om o - kän - da djur.

Mång - a är lång - a och svå - ra att fång - a, mång - a syns in - te men finns än - då!

Mång - a är gu - la och fu - la och grö - na och skö - na och rö - da el - ler blå.

Mång - a är sto - ra som hus el - ler så, men dom fles - ta är små, myc - ket

små, myc - ket små.

2

I det första snöfallet tror alla
att det bara flingor är som falla.
Men det är fel, för var tusende flinga
är djuret silf, fast på det tror väl inga.
Men småningom blir alla silfer slöa,
och i mars så där, så börjar det att töa.
Om du tappar vanten uti skogen,
så ser du säkert aldrig den som tog'en.
Ett litet djur bygger bo ini tummen.
I ur och skur bor han där, heter lummen.
Och lummen äter snart upp hela vanten.
Blir utan bostad sen frampå vårkanten.

Du tror inte på det här, eller hur ...

3

Det största djur som finns får väldig brådska
var gång det drar ihop sig till åska.
Han säger "Åh!" och äter allt muller,
och därför så blir det mindre buller.
Och därför finns det blixtar utan muller,
och djuret heter Huller-Om-Buller.
Det minsta djur som funnits var så litet,
så magert och så tunt och ruskigt slitet.
Det var en fnill, som var så svår att finna,
att en bacill kunde be den försvinna.
Han var så liten att hans huvud värkte,
men glad ändå om någon honom märkte.

Du tror inte på det här, eller hur ...

Sång med lek och dans

Björnen sover

Björ - nen so - ver, björ - nen so - ver i sitt lug - na bo.

Han är in - te far - lig ba - ra man är var - lig.

Men man kan dock, men man kan dock ho - nom ald - rig tro.

Björnen sover...   *gå i ring kring den som ligger hopkrupen i mitten och spelar björn*

kan dock honom aldrig tro   *den som spelar björn rusar upp och tar fast någon av de övriga som sedan får spela björn*

Fem fina fåglar

TEXT Jujja och Tomas Wieslander
MUSIK Jujja och Tomas Wieslander
♩ 268

Fem fi - na fåg - lar satt på en gren, och

en ram - la av. Och då var det ba - ra

Räkna: En, två, tre,   fy - ra fåg - lar kvar.

2
Fyra fina fåglar
satt på en gren
och en ramla av.
Och då var det bara
— *en två*
tre fåglar kvar.

3
Tre fina fåglar
satt på en gren
och en ramla av.
Och då var det bara
— *en*
två fåglar kvar.

4
Två fina fåglar
satt på en gren
och en ramla av.
Och då var det bara
en fågel kvar.

5
En fin fågel satt på en
gren
och den ramla av.
Och då var det bara
grenen kvar.

Fem fina fåglar	*visa fram ena handen med alla fingrar uppåtsträckta*
en ramla av	*fäll in tummen mot handflatan*
bara en, två, tre, fyra	*peka med andra handens pekfinger på de fyra uppåtsträckta fingrarna*
bara en, två, tre	*fäll långfingret och peka med andra handens pekfinger på de tre uppåtsträckta fingrarna*
bara en, två	*fäll in långfingret och peka med andra handens pekfinger på de två uppåtsträckta fingrarna*
bara en	*fäll in ringfingret och peka med andra handens pekfinger på det uppåtsträckta lillfingret*
den ramla av	*fäll in lillfingret*
bara grenen kvar	*fäll ut tummen och håll övriga fingrar infällda*

© Jujja Wieslander

Kaninvisan

Text Jujja och Tomas Wieslander
Musik Jujja och Tomas Wieslander
♩ 268

Jag är en van-lig ka-nin,

van - lig fast o - van - ligt fin.

Ö-ro-nen mi-na är lång-a och fi-na och

vif-tar som ö-ro-nen ska. Vift vift.

End. efter
vers 4

Jag är en van-lig ka-nin

van-lig fast o-van-ligt fin.

2
Jag är en vanlig kanin
vanlig fast ovanligt fin.
Tänderna mina
är långa och fina
och gnager som tänderna ska.
Gnag gnag.

3
Jag är en vanlig kanin
vanlig fast ovanligt fin.
Rumpstumpen min
är liten och fin
och gumpar som rumpstumpen ska.
Gump gump.

4
Jag är en vanlig kanin
vanlig fast ovanligt fin.
Bakbenen mina
är långa och fina
och skuttar som bakbenen ska.
Skutt skutt.

Jag är en vanlig kanin
vanlig fast ovanligt fin.

Öronen	*sätt händerna bakom öronen*
Tänderna	*visa framtänderna*
Rumpstumpen	*sätt ena handens knytnäve på stjärten*
Bakbenen	*hoppa med kaninskutt*

© Jujja Wieslander

Vipp-på-rumpan-affärn

Text Jujja och Tomas Wieslander
Musik Jujja och Tomas Wieslander
♩ 268

Vi gick in i en af - fär, sa god - dag vad har ni här? Kan man möj - ligt-vis kö - pa sej van - tar här? *Nej ty - värr, nej ty - värr* För det - ta är en li - ten klap-pa-hän - der - af - fär, klap - pa - hän - der - af - fär, klap - pa-hän - der - af - fär. Det - ta är en li - ten klap pa - hän - der - af - fär, klapp i hän - der är det en - da vi säl - jer här.

2
Vi gick in i en affär,
sa: Goddag, vad har ni här?
Kan man möjligtvis köpa sej stövlar här?
Nej, tyvärr, nej tyvärr,
för detta är en liten stamp-i-golvet-affär,
stamp-i-golvet-affär, stamp-i-golvet-affär.
Detta är en liten stamp-i-golvet-affär,
stamp-i-golvet är det enda vi säljer här.

3
Kan man möjligtvis köpa en näsduk här?
(en liten håll-för-näsan-affär
håll-för-näsan-affär, håll-för-näsan-affär.)

4
Kan man möjligtvis köpa ett läppstift här?
(en liten spel-på-läppen-affär
spel-på-läppen-affär, spel-på-läppen-affär.)

5
Kan man möjligtvis köpa en mössa här?
(en liten skaka-huvet-affär
skaka-huvet-affär, skaka-huvet-affär.)

6
Kan man möjligtvis köpa kalsonger här?
(en liten vipp-på-rumpan-affär
vipp-på-rumpan-affär, vipp-på-rumpan-affär.)

Följ versernas olika rörelser: *Klappa i händerna,*
                                  stampa i golvet,
                                  håll för näsan,
                                  spela på läppen,
                                  skaka på huvudet,
                                  vippa på rumpan.   © Jujja Wieslander

Huvud, axlar, knän och tår   ♩ 268

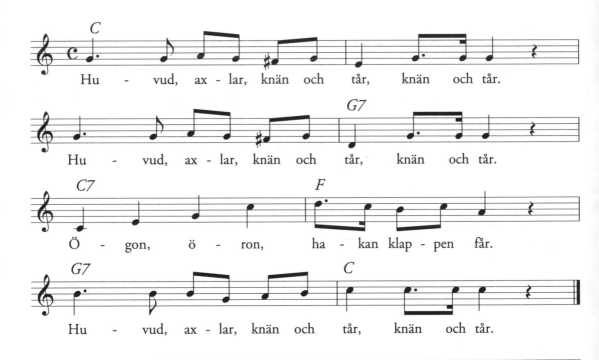

Hu - vud, ax - lar, knän och tår, knän och tår.
Hu - vud, ax - lar, knän och tår, knän och tår.
Ö - gon, ö - ron, ha - kan klap - pen får.
Hu - vud, ax - lar, knän och tår, knän och tår.

Huvud	*sätt händerna på huvudet*	Ögon	*klappa med händerna på ögonen*
axlar	*lägg händerna på axlarna*	öron	*klappa med händerna på öronen*
knän	*lägg händerna på knäna*	hakan	*klappa med ena handen på hakan*
tår	*peka på tårna med händerna*		

Imse vimse spindeln

♩ 268

Imse vimse spindeln	*sätt vänster tumme mot höger pekfinger, "klättra" genom att sätta höger tumme mot vänster pekfinger, skifta tillbaka till vänster tumme mot höger pekfinger osv.*
Ner kom allt regnet	*spreta med fingrarna och för händerna upp och ner*
Upp steg solen	*båda händerna förs sakta uppåt med handflatorna framåt*
torka bort allt regn	*för handflatorna från sida till sida som om man torkar rutan*
Imse vimse spindeln	*inledningens fingerrörelser upprepas*

Rockspindeln

♩ 268

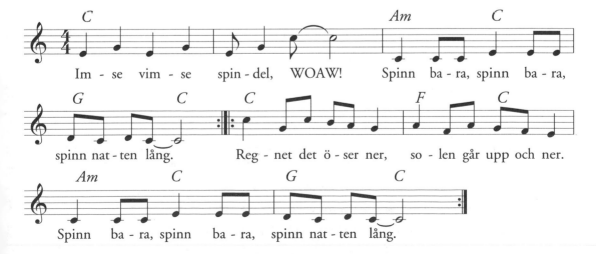

Imse vimse spindel	*veva med knutna händer framför bröstet*
Woaw!	*sträck upp armarna i luften*
Spinn bara, spinn	*veva med knutna händer framför bröstet*
Regnet det öser ner	*slå med spretande fingrar upp och ned*
Solen går upp och ner	*gör med utsträckta armar en cirkel upp över huvudet och därefter tillbaka*
Spinn, bara spinn	*veva med knutna händer framför bröstet*

En elefant balanserade ♩ 268

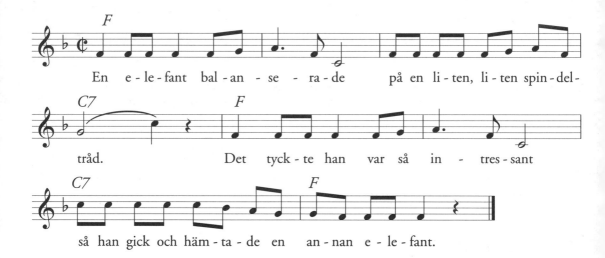

En e-le-fant bal-an-se-ra-de på en li-ten, li-ten spin-del-tråd. Det tyck-te han var så in-tres-sant så han gick och häm-ta-de en an-nan e-le-fant.

2
Två elefanter balanserade ...
Det tyckte dom var så intressant
att dom gick och hämtade en annan elefant.

3
Tre elefanter balanserade ...
osv.

En elefant balanserade	*gå i ring kring den som går i mitten och som försöker likna en elefant genom att hålla ena handen i näsan och låta den andra dingla som en snabel*
hämtade en annan elefant	*elefanten i mitten hämtar en ur ringen*
Två elefanter balanserade	*de båda inne i ringen försöker likna elefanter*
Tre elefanter osv.	*leken fortsätter på samma vis tills alla går omkring och liknar elefanter*

Klappa händerna

Klap - pa hän - der - na när du är rik - tigt gla'. Klap - pa

hän - der - na när du är rik - tigt gla'. Du kan

ock - så gläd - ja and - ra som på den - na jor - den vand - ra, klap - pa

hän - der - na när du är rik - tigt gla'.

2
Stampa fötterna när du är riktigt gla'…

3
Knäpp med fingrarna när du är riktigt gla'…

4
Säg hej, hej till vännen din som sitter här…

5
Gör nu alltihop om du är riktigt gla'…

Efter ordet "gla'" utför man de olika rörelserna två gånger.
I sista verserna utför man alla rörelserna i en följd.

1 *klappa med händerna två gånger*

2 *stampa med fötterna*

3 *knäpp med fingrarna*

4 *säg "hej, hej" till den som sitter närmast*

5 *klappa händerna, stampa med fötterna, knäpp med
fingrarna, säg "hej, hej"*

Tomten och haren

I ett hus vid sko-gens slut, li-ten tom-te tit-tar ut.

Ha-ren skut-tar fram så fort, knac-kar på dess port.

Hjälp, ack hjälp, ack hjälp nu mig. An-nars skju-ter jä-gar'n mig.

Kom, ja kom i stu-gan in räck mig han-den din.

hus	*rita ett hus med händerna i luften*
tittar ut	*speja med ena handen ovanför ögonen*
Haren skuttar fram	*skutta med händerna framför bröstet*
klappar på dess port	*knacka som på en dörr*
Hjälp, ack hjälp	*knäpp händerna framför bröstet*
annars skjuter jägar'n mej	*sikta med ett låtsasgevär*
Kom, ja kom	*vinka haren till dig*
räck mej handen din	*räck handen till den som står närmast*

En kulen natt

En ku-len natt natt natt min båt jag styr-de på ha-vets
vå-ga-de vå-ga-de våg så skum-met yr-de. Och vart jag
så-ga-de så-ga-de såg på ha-vets vå-ga-de vå-ga-de våg, långt ner i
dju-pet-ti-pet-ti-pet-ti-pet en fisk jag såg och det var du!

natt natt natt	*sätt händerna för ögonen*
båt jag styrde	*ratta ett roder*
havets vågade våg	*gör vågrörelser med armar och händer*
yrde	*slå ut med armar och händer*
sågade, sågade	*gör sågrörelser med ena armen*
havets vågade våg	*gör vågrörelser med armar och händer*
ner i djupet	*peka nedåt*
en fisk	*rör ena handen som en simmande fisk*
det var du	*peka på någon annan*

Tigerjakten

Text Leif Walter
♩ 269

Nu ska vi gå på ti - ger jakt. Vi kom - mer till nå't gräs. Vi

kan in - te gå runt det, vi kan in - te gå un - der det. Vi

mås - te gå i - ge - nom det, ssch ssch ssch ssch ssch ssch ssch ssch

2
Vi kommer till ett kärr
eller är det ett träsk?
Vi kan inte gå runt det,
vi kan inte gå under det.
Vi måste gå igenom det.
slurp slurp

3
Vi kommer till ett träd.
Vi kan inte gå runt det.
Det är mycket konstigt,
vi måste klättra upp i det.

4
Vi tittar oss omkring.
Vi kan ju inte se nånting.
Vi måste klättra ned igen.

5
Vi kommer till en bro.
Vi kan inte gå under den.
Vi kan inte gå under den,
vi måste ju gå över den.

6
Vi kommer till en grotta.
Det är alldeles mörkt.
Vi känner oss omkring,
vi känner något mjukt.
Vi känner något skönt.
EN TIGER!!!

Aåååh! Äntligen hemma.

Jaktledaren sitter mitt emot de andra tigerjägarna. Alla slår takten mot knäna.
Sången sjunges med tungan mellan undre läppen och nedre tandraden.
Jaktledaren sjunger före och visar rörelserna.
Jägarna upprepar jaktledarens tal och rörelser fras för fras.

| Vi måste gå igenom det | |
| ssch ssch | *slå undan gräset med händerna* |

| Vi måste gå igenom det | |
| slurp slurp | *låtsas klafsa i lera med händerna* |

| vi måste klättra upp i det | *låtsas klättra upp med knutna händer,* |
| | *den ena växelvis ovanför den andra* |

Vi tittar oss omkring	*speja runt*
Vi kan ju inte se nånting	*ruska på huvudet*
Vi måste klättra ned igen	*låtsas klättra ned*

| vi måste ju gå över den | *slå med knutna nävar mot bröstet* |

Vi känner oss omkring	*famla med händerna i luften*
vi känner något mjukt	*stryk med händerna i luften*
EN TIGER	*upprepa alla rörelserna fast i omvänd ordning*

Bockarna Bruse

Text Arvid Höglund
Musik Trad
♩ 269

Lil - la boc - ken Bru - se trip - pa' ö - ver trol - le - bro. "Nu
tar jag dig", sa' trol - let. Vad sva - ra' boc - ken då?
"Nej nej nej ta in - te mig, ta den som är ef - ter mig.
Ta du mel - lan - boc - ken, stor och fet och tjock en."

2
Mellanbocken Bruse trampa' över trollebro.
"Nu tar jag dig", sa trollet. Vad svara bocken då?
"Nej nej nej ta inte mig, ta den som är efter mig.
Ta du stora bocken, stor och fet och tjock en."

3
Stora bocken Bruse klampa' över trollebro.
"Nu tar jag dig", sa trollet. Vad svara bocken då?
"Rädd för dig det är jag ej, kom du bara upp till mig",
sa den stora bocken, stor och fet och tjock en.

4
Stora bocken Bruse stånga' trollet ner i ån
och alla bockar Bruse går trygga över bron.
Nu är denna visan slut, bockarna går ofta ut
att i skogen beta, äta och bli feta.

---

trippa'	*trippa med fingrarna*
nu tar jag dig	*hota med knuten näve*
Nej, nej, nej	*skaka på huvudet och peka med tummen över axeln*
stor och fet	*visa med handen framför magen hur tjock bocken* är
trampa'	*trampa med fötterna i golvet*
nu tar jag dig	*hota med knuten näve*
Nej, nej, nej	*skaka på huvudet och peka med tummen över* axeln
stor och fet	*visa med handen framför magen hur tjock bocken* är
klampa'	*klampa med fötterna i golvet*
nu tar jag dig	*hota med knuten näve*
Nej, nej, nej	*skaka på huvudet och vinka trollet till dig*
stor och fet	*visa med handen framför magen hur tjock bocken* är
stånga'	*böj huvudet och stånga i luften*
äta och bli feta	*visa med händerna hur tjocka bockarna blir*

Moster Ingeborg

♩ 269

Jag har en gam - mal mos - ter som he - ter Ing - e - borg. Jag

bru - kar hen - ne här - ma när hon går på sta - dens torg. Så

här sva - jar hat - ten och hat - ten sva - jar så, så

här sva - jar hat - ten och hat - ten sva - jar så.

2
Jag har en gammal moster ...
Så här svajar fjädern ...
Så här svajar hatten ...

4
Jag har en gammal moster ...
Så här svajar kjolen ...
Så här svajar muffen ...
o.s.v.

3
Jag har en gammal moster ...
Så här svajar muffen ...
Så här svajar fjädern ...
o.s.v.

5
Jag har en gammal moster ...
Så här svajar moster ...
Så här svajar kjolen ...
o.s.v.

hatten	*nicka med huvudet i sidled*
fjädern	*sätt armen vid huvudet och svaja med den fram och åter*
muffen	*lägg armarna i kors framför magen och vaja i sidled*
kjolen	*sväng med höfterna i sidled*
moster	*sväng på hela kroppen*

Verserna byggs på genom att man upprepar det man sjungit tidigare
fast i omvänd ordning.

Min gamle kompis Kalle Svensson

Min gam - le kom - pis, Kal - le Svens - son het - te han, han var
känd i näs - tan he - la Sveri - ges land. Ut - i al - la skil - da
vä - der gick han klädd i sam - ma klä - der, för han tyck - te själv han
var en gent - le - man. Han ha - de hatt och sjal och pa - ra -
ply. Han ha - de sjal och hatt och pa - ra - ply.
Han ha - de hatt och sjal, han ha - de sjal och
hatt, han ha - de hatt och sjal och pa - ra - ply.

2
Så en dag blev Kalle bjuden på en fest.
Uti frack och smoking kom varenda gäst.
Men Kalle in i salen träder uti samma gamla kläder,
för han tyckte själv han var en gentleman.

Han hade hatt och sjal och paraply …

3

Så blev Kalle i en vacker flicka kär,
och med henne det till prästen sedan bär.
Flickan kommer klädd till brud uti en väldigt tjusig skrud,
men Kalle själv han kommer just precis så här:

Han hade hatt och sjal och paraply ...

---

hatt   *lägg ena handen på huvudet*

sjal   *lägg händerna i kors nedanför halsen*

paraply   *håll i ett låtsasparaply framför kroppen*

Wodeli Atcha

♩ 269

Wo - de - li At - cha, Wo - de - li At - cha, Do - de - li - do,

Do - de - li - do, Wo - de - li At - cha, Wo - de - li At - cha,

Do - de - li - do, Do - de - li - do. Det är så

jät - te - en - kelt, Do - de - li - do, Do - de - li - do,

det är så jät - te - en - kelt, Do - de - li, Do - de - li - do. WAOW!

Wodeli	*lägg vänster hand över höger och för händerna i sidled*
Atcha	*gör samma sak med höger hand över vänster*
Wodeli	*för vänster tumme över höger axel två* gånger
Atcha	*för höger tumme över vänster axel två gånger*
Dodeli	*peka först på pannan, därefter på nästippen*
do	*peka på hakan*

Detta upprepas fyra gånger under sången.
Till slut sträcker alla upp armarna i luften och skriker WAOW!

Sabukuaja

TEXT Trad
MUSIK Afrikansk folkmelodi
♩ 269

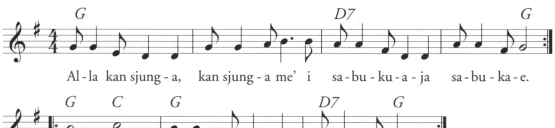

Al-la kan sjung - a, kan sjung - a me' i sa - bu - ku - a - ja sa - bu - ka - e.

A - a sa - bu - ku - a - ja sa - bu - ka - e.

2
Alla kan klappa, kan klappa med …

3
Alla kan gunga, kan gunga med …

4
Alla kan tralla, kan tralla med …

5
Alla kan knäppa, kan knäppa med …

6
Alla kan nicka, kan nicka med …

Gör rörelser som passar till de olika verserna: klappa, gunga, knäpp, nicka.

Jag skakar på händerna

Text Gunnel Johansson och Björn Clarin
Musik Björn Clarin
♩ 269

Jag ska - kar på hän - der - na lyf - ter dom högt.

Nic - kar med hu - vu - det och vic - kar på min höft. Rag - ga

dang ding - a - ling boing - boing yip - pi - doo.

Daing - daing ra - ba - da - boo. Jag

Klap - par i hän - der - na lyf - ter dom högt

stam - par med föt - ter - na och vic - kar på min höft. Rag - ga -

dang ding - a - ling boing - boing yip - pi - doo

daing - daing ra - ba - da - boo.

2
Jag klappar i händerna
lyfter dom högt
stampar med fötterna
och vickar på min höft.
Raggadang dingaling …

3
Jag räcker dej händerna
lyfter dom högt
viskar i ditt öra
och vickar på min höft.
Raggadang dingaling …

4
Jag vinkar med händerna
lyfter dom högt
tackar för dansen
och vickar på min höft.
Raggadang dingaling …

Fader Abraham

Svensk text Gert-Ove
Smedlund och Leif Walter
♩ 269

Fa - der Ab - ra - ham, fa - der Ab - ra - ham fy - ra
sö - ner ha - de Ab - ra - ham. Och dom åt och drack och dom
drack och åt och dom ro - a' sig så här: Hö - ger hand! Fa - der
här: Hö - ger hand, väns - ter hand! Fa - der

Påbyggnadslek:

Höger hand! (Håll upp höger hand och börja slå takten med den mot höger knä)

Vänster hand! (Gör likadant med den)

Höger fot! (Stampa takten med foten – också!)

Vänster fot! (Stampa även med vänster fot)

Huvudet! (Skaka på huvudet samtidigt som allt annat)

Kroppen med! (Hoppa med kroppen)

Hånki tånki

Jag sträc - ker hög - ra ar - men fram. Jag sträc - ker
hög - ra ar - men bak. Jag sträc - ker hög - ra ar - men fram och
ska - kar li - te grann. Och jag gör min "hån - ki tån - ki" som jag
gör var - en - da da'. Och det var allt för den - na gång - en. Hej!

2
Jag sträcker vänstra armen fram.
Jag sträcker vänstra armen bak.
Jag sträcker vänstra armen fram
och skakar lite grann.
Och jag gör min "hånki-tånki"…

3
Jag sträcker högra foten fram.
Jag sträcker högra foten bak.
Jag sträcker högra foten fram
och skakar lite grann.
Och jag gör min "hånki-tånki"…

4
Jag sträcker vänstra foten fram.
Jag sträcker vänstra foten bak.
Jag sträcker vänstra foten fram
och skakar lite grann.
Och jag gör min "hånki-tånki"…

5
Jag sträcker hela huv'et fram.
Jag sträcker hela huv'et bak.
Jag sträcker hela huv'et fram
och skakar lite grann.
Och jag gör min "hånki-tånki"…

När vi gick på stan

TEXT Peter Wanngren
MUSIK Peter Wanngren
♩ 269

När vi gick på sta'n det var här-om-da'n, då såg vi en ro-lig flic-ka och vi sa: "Tit-ta där där där, hon gör så här här här!" Se'n här-ma' vi hen-ne så bra! Hopp-sa-flic-kan hopp-sa-flic-kan hopp-sa-flic-kan hej! Tit-ta på mej när jag här-mar dej! Hopp-sa-flic-kan hopp-sa-flic-kan hopp-sa-flic-kan hej! Å vad vi gil-lar dej!

2
När vi gick på stan det var häromdan,
då såg vi en rolig pojke och vi sa:
"Titta där …

Joggarnisse joggarnisse joggarnisse hej!
Titta på mej …

3
När vi gick på stan det var häromdan,
då såg vi en rolig farbror och vi sa:
"Titta där …

Trötta farbrorn trötta farbrorn trötta farbrorn hej!
Titta på mej …

4
När vi gick på stan det var häromdan,
då såg vi en rolig tant och vi sa:
"Titta där …

Bråttomtanten bråttomtanten bråttomtanten hej!
Titta på mej …

5
När vi gick på stan häromdan,
då såg vi en rolig unge och vi sa:
"Titta där …

Tjuriga ungen tjuriga ungen tjuriga ungen hej!
Titta på mej …

6

När vi gick på stan det var häromdan,
då såg vi en rolig gubbe och vi sa:
"Titta där …

Sprattelgubben sprattelgubben sprattelgubben hej!
Titta på mej …

Härma de olika personerna i sången:

Hoppsa-flickan	*spring med hoppsa-steg*
Joggar-Nisse	*jogga*
Trötta farbrorn	*lunka fram*

Bråttomtanten	*gå med hastiga steg*
Tjuriga ungen	*gå sakta på tjurigt sätt*
Sprattelgubben	*gör sprattelrörelser med armar och ben*

© Musikrummet

Små grodorna

♩ 270

Små gro-dor-na, små gro-dor-na, är lus-ti-ga att se. Små gro-dor-na, små gro-dor-na är lus-ti-ga att se.

1

‖: Små grodorna, små grodorna är lustiga att se. :‖
‖: Kouack, kack, kack, Kouack, kack, kack,
Kouack, kack, kack, kack, kack :‖
‖: Ej öron, ej öron ej svansar hava de.:‖
‖: Kouack, kack, kack,… :‖

2

‖: Små grisarna, små grisarna är lustiga att se.:‖
‖: Å nöff, nöff, nöff, å nöff, nöff, nöff,
å nöff, nöff, nöff, nöff, nöff:‖
‖ :Båd' öron, båd' öron och svansar hava de.:‖
‖ :Å nöff, nöff, nöff …:‖

Små grodorna	*hopp i ring; deltagarna hoppar efter varandra*
Kouack, kack, kack	*små hopp i nigsittande med händer på knäna*
Ej öron	*hopp med händerna viftande vid öronen*
ej svansar	*hopp med ena handen härmande en viftande svans*

Små grisarna | *hopp i ring; deltagarna hoppar efter varandra*
Å nöff, nöff, nöff | *varje deltagare hoppar och håller den framförvarande i midjan med båda händerna*
Båd´ öron | *hopp med händerna viftande vid öronen*
och svansar | *hopp med ena handen härmande en viftande svans*
Å nöff, nöff, nöff | *varje deltagare hoppar och håller den framförvarande i midjan med båda händerna*

Tre små gummor

TEXT Anna Maria Roos
MUSIK Trad
♩ 270

Tre små gum - mor skul - le gå en gång till mark - na - den ut - i No - ra. Vi ska ha ro - ligt, sa gum - mor - na de små, vi ska ha ro - ligt, det kan ni väl för - stå. Å - ka ka - ru - sell, och ä - ta ka - ra - mell och fröj - das he - la da - gen ut - i No - ra.

Tre små gummor... | *pojkarna bildar ytterring; flickorna i innerring, tre och tre, arm i arm; promenad*

Vi ska ha roligt... | *tre flickor bjuder upp tre pojkar och bildar tre par som gör sparksteg mitt emot varandra med händerna i sidorna*

Åka karusell... | *paren dansar om medsols med gångsteg, vid reprisen medsols*

Törnrosa

Törn - ro - sa var ett vac - kert barn, vac - kert barn, vac - kert barn. Törn-

ro - sa var ett vac - kert barn, vac - kert barn.

2
Hon bodde i det höga slott, höga slott, höga slott,
hon bodde i det höga slott, höga slott.

3
Så kom den onda fen därin ...

4
Törnrosa sov i hundra år ...

5
Då växte häcken kämpahög ...

6
Så kom den vackra prinsen in ...

7
Törnrosa får ej sova mer ...

8
Och prinsen dansar med sin brud ...

9
Och alla hjartan glädja sej ...

10
Tra la la la la la la la ...

Törnrosa var ett vackert	*dans i två slutna ringar, den yttre medsols, den inre motsols; i innerringens mitt sitter den flicka som föreställer Törnrosa; utanför ytterringen väntar dels en flicka, som föreställer den onda fen, dels en pojke som föreställer prinsen*
Hon bodde i det höga	*deltagarna i innerringen fortsätter dansen hand i hand men lyfter nu händerna till axelhöjd*
Så kom den onda fe därin	*flickan som föreställer den onda fen bryter sig igenom de båda ringarna, går fram och lägger sin hand på Törnrosas huvud; Törnrosa somnar*
Då växte häcken kämpahög	*ytterringen stannar och höjer armarna så högt som möjligt*
Så kom den vackra prinsen	*pojken som föreställer prinsen bryter sig igenom de båda ringarna*
Törnrosa må ej sova mer	*prinsen lägger sin hand på Törnrosas huvud; Törnrosa vaknar, tar prinsens hand och reser sig upp*
prinsen dansar med sin brud	*prinsen och Törnrosa räcker varandra händerna och dansar medsols*
alla hjärtan glädja sig	*dansen fortsätter i snabbare tempo*
tra la la la la	*dansen går över i hoppsteg*

Bro bro breja

Bro bro bre-ja stoc-kar och ste-nar al-la go-da re-nar.
Ing-en slip-per här fram, här fram, för-rän hon sä-ger sin kä-ras-tes
namn. Vad he-ter han, din fäs-te-man?

Alla utom två bildar ring och går runt medan man sjunger.
Två personer bildar en bro över ringen av dansande genom att sträcka upp armarna
med handflatorna mot varandra.
Vid versens slut sänks armarna runt den som befinner sig under bron.
Den infångade svarar på sångens avslutande fråga med att säga namnet på den hon tycker
bäst om, t ex: "Anders!".
Om den infångade är en pojke ändras sångens fråga till "Vad heter hon, din fästemö?", och
den infångade svarar genom att säga namnet på den han tycker bäst om, t ex: "Karin!"

Känner du Lotta, min vän

Kän-ner du Lot-ta, min vän? Hon bor i Fis-ka-re-gränd.
Hon har en söt li-ten vän, kom får du dan-sa med den.

Tra la la la la la la. Tra la la la la la la. Tra la la

la la la la. Tra la la la. Kän-ner du la.

Känner du Lotta, min vän	*alla dansar hand i hand medsols i ring; springsteg*
Hon har en söt liten vän	*handklapp vid "Hon", därefter indelning i par*
Tra la la la la lala la	*varje par dansar om medsols med raka högerarmar och starkt krökta vänsterarmar i axelhöjd med dubbel handfattning*
Tra la la la la la la	*paren dansar motsols som tidigare men med raka vänsterarmar och krökta vänsterarmar*

Så gå vi runt om ett enerissnår ♩ 270

Så gå vi runt om ett e-ne-ris-snår, e-ne-ris-snår, e-ne-ris-snår.

Så gå vi runt om ett e-ne-ris-snår ti-digt en mån-dags-mor-gon.

Så gö-ra vi när vi tvät-ta vå-ra klä-der, tvät-ta vå-ra klä-der, tvät-ta vå-ra klä-der.

Så gö-ra vi när vi tvät-ta vå-ra klä-der ti-digt en mån-dags-mor-gon.

2

Så gå vi runt om ett enerissnår, enerissnår, enerissnår,
så gå vi runt om ett enerissnår tidigt en tisdagsmorgon.
Så göra vi när vi skölja våra kläder, skölja våra kläder, skölja våra kläder,
så göra vi när vi skölja våra kläder tidigt en tisdagsmorgon.

3

Onsdag = Så göra vi när vi klappa våra kläder

4

Torsdag =Så göra vi när vi hänga våra kläder

5

Fredag = Så göra vi när vi mangla våra kläder

6

Lördag = Så göra vi när vi skura våra golv

7

Söndag = Så göra vi när till kyrkan vi gå

Så gå vi runt om ett enerissnår	*alla går medsols i ring, hand i hand*
tvätta våra kläder	*gnid händerna upp och ned som mot ett tvättbräde*
skölja våra kläder	*för händerna upp och ned som om man doppar kläderna i vatten*
hänga våra kläder	*häng kläderna på tork*
stryka våra kläder	*stryk fram och tillbaka som med ett strykjärn*
mangla våra kläder	*stå två och två, mitt emot varandra, och håll varandra i händerna och dra fram och tillbaka*
skura vårt golv	*sitt på huk och gör skurrörelser*
till kyrkan vi gå	*gå två och två, arm i arm; paren hälsar på varandra*

Vi äro musikanter

♩ 270

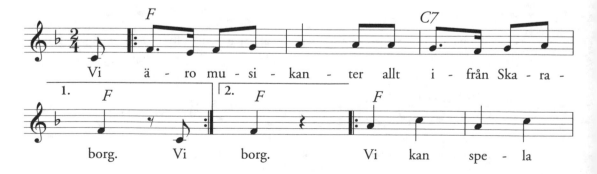

Vi ä - ro mu - si - kan - ter allt i - från Ska - ra-
borg. Vi borg. Vi kan spe - la

fi - o li - o li - o lej, vi kan spe - la

bas - fi - ol och flöjt. Och vi kan dan - sa bom - fad - de - ral - la,

bom - fad - de - ral - la, bom - fad - de - ral - la, vi kan dan - sa

bom - fad - de - ral - la, bom - fad - de - ral - la lej.

Vi äro musikanter	*parvis promenad hand i hand motsols*
Vi kan spela fioliolio lej	*varje par stannar upp; de vänder sig mot varandra och härmar en fiolspelare, en basfiolspelare och en flöjtspelare*
Och vi kan dansa	*dans i ring med sidgalopp medsols; reprisen dansas motsols*

Viljen I veta och viljen I förstå ♪ 270

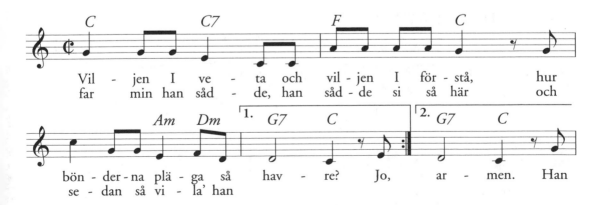

Vil - jen I ve - ta och vil - jen I för - stå, hur
far min han såd - de, han såd - de si så här och

bön - der - na plä - ga så hav - re? Jo, ar - men. Han
se - dan så vi - la' han

stam - pa' med sin fot, han klap - pa' med sin hand, så gla - de - lig, så

gla - de - lig, han vän - de sig om ut - i dan - sen.

Se, vad jag fick uti min hand,
och se, vad jag fick att föra.
En liten flicka, så fager och så grann,
så nätt uti sina kläder.
Jag håller dig så kär,
jag stiger dig så när,
jag törs inte säga, hur vacker du är.
Jag låter dig stå för en annan.

Viljen i veta...	*flickorna går medsols i rad i ytterring, pojkarna motsols i rad i innerring, alla med korslagda armar*
Jo, far min han sådde	*alla "sår" växelvis med höger och vänster hand*
och sedan så vila' han armen	*korslagda armar under fortsatt promenad*
Han stampa' med sin fot	*stampa i golvet*
han klappa' med sin hand	*klappa i händerna*
så gladelig, så gladelig	*korslagda armar*
han vände sig om...	*alla vänder sig ett helt varv*
Se, vad jag fick...	*pojkarna bjuder upp och paren promenerar motsols hand i hand*
Jag håller dig så kär	*pojkarna och flickorna ställer sig mitt emot varandra med dubbel handfattning; de stiger nära varandra och sedan tillbaka; de svänger händerna i takt med sången*
Jag låter dig gå...	*paren tackar med bugning respektive nigning*

Flickorna de små

Flic - kor - na de små ut - i ring - en de gå, de
tän - ka just som så: En vän jag kun - de få. Och
om du vill bli all - ra kä - ras - ten min, så
bju - der jag dej att i dan - sen trä - da in. För
bom fad - de ral - la, bom fad - de - ral - la, bom fad - de - ral - la lej, för
bom fad - de - ral - la lej, för bom fad - de - ral - la lej. Ja,
om du vill bli all - ra kä - ras - ten min, så
bju - der jag dej att i dan - sen trä - da in. För in.

Flickorna de små...	*i ytterring går pojkarna medsols hand i hand;* *i innerring går flickorna efter varandra med händerna i sidorna*
Och om du vill bli...	*flickorna bjuder upp och paren går motsols hand i hand medan de svänger* *med armarna framåt och bakåt*
För bom fadderalla..	*pojken fattar flickan om livet med höger arm, flickan håller sin högerhand i pojkens* *vänsterhand; sin vänstra arm lägger hon över hans axel; paren dansar sidgalopp medsols;* *pojken börjar galoppen med vänster fot, flickan med höger*
Ja, om du vill bli...	*promenad motsols som tidigare*

Skära, skära havre

♩ 271

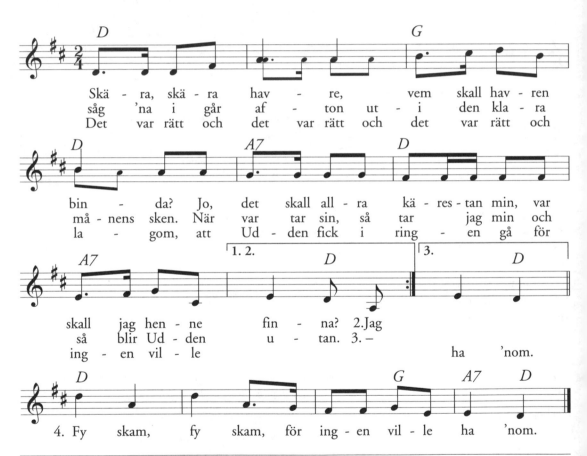

skära, skära havre...	*promenad runt i ringen*
Jag såg'na i går afton	*deltagarna försöker få tag i en partner att gå hand i hand med;* *den som blir utan går in i mitten och låtsas gråta*
Det var rätt...	*promenad parvis hand i hand*
fy skam, fy skam...	*alla vänder sig mot den som blivit över – Udden – i ringens mitt och pekar finger*

Vi ska ställa till en roliger dans

Vi ska stäl - la till en ro - li - ger dans,

vi ska bin - da bå - de kro - na och krans till dan - sen.

Hej hopp, en ro - li - ger dans!

Hej hopp, båd' kro - na och krans till dan - sen.

||: Vacker är du, när du dansar och ler,
vacker, när du på din käresta ser,
du lilla. :||
||: Hej hopp, en roliger dans!
hej hopp, båd' krona och krans
till dansen. :||

Vi ska ställa till	*flickorna dansar hand i hand medsols med springsteg i ytterring; pojkarna dansar hand i hand motsols med springsteg i innerring*
Hej hopp, en roliger dans	*dansens forsätter, medan pojkarna vänder sig mot flickorna i ytterringen*
Vacker är du	*pojkarna bjuder upp; pojke och flicka räcker varandra händerna; varje par dansar om med valssteg medsols; reprisen dansas motsols*
Hej hopp, en roliger dans	*varje par tar höger armkrok och dansar om medsols; reprisen dansas vänster armkrok motsols*

Morsgrisar

Mors - gri - sar ä' vi al - li - ho - pa, al - li - ho - pa, al - li - ho - pa.

Mors - gri - sar ä' vi al - li - ho - pa, al - li - ho - pa, ja mä'.

Lugnare.

Ja mä', å du mä'.

Farsgrisar, spargrisar, smutsgrisar, kelgrisar m. fl. som man kommer överens om.

Morsgrisar   *dans i ring medsols*

Ja mä'   *alla stannar; var och en pekar på sig själv*

du mä'   *var och en pekar på den som står närmast*

Och flickan hon går i dansen

Och flic - kan hon går i dan - sen med rö - da gull - band. Och band. Det bin - der hon om sin kä - ras - tes

hand. Det bin - der hon om sin kä - ras - tes hand.

2
‖: Ack, kära min lilla flicka, knyt inte så hårt. :‖
‖: Jag ämnar ej att rymma långt bort. :‖

3
‖: Och flickan hon går och lossar på röda gullband. :‖
‖: Så hastigt den skälmen i skogen försvann. :‖

4
‖: Då sköto de efter honom med femton gevär. :‖
‖: "Och vill ni mig något, så har ni mig här." :‖

5
‖: Och nu har du blivit gifter, nu har du fått man. :‖
‖: Den vackraste gossen i hela vårt land. :‖

Och flickan hon går i dansen	*dans i ring medsols; en eller flera flickor mitt i ringen dansar motsols med band i händerna*
Det binder hon om	*flickan med bandet dansar fram till den pojke hon själv väljer ut och knyter bandet runt hans handled*
Ack kära min lilla flicka	*flickan dansar baklänges och drar pojken med sig i händerna*
flickan hon går och lossar	*flickan lossar bandet från pojkens handled*
skälmen i skogen försvannn	*pojken flyr ut genom ringen och flickan fortsätter sin dans motsols i ringen*
Då sköto de efter honom	*dansen stannar; alla i ringen härmar skott genom handklappningar*
så har ni mig här	*pojken som tagit till flykten återvänder till sin flicka ringen*
nu har du blivit gifter	*pojken och flickan tar varandras händer och dansar medsols; ytterringen dansar motsols*
Den vackraste gossen	*pojken och flickan dansar motsols, ytterringen medsols*

Ritsch, ratsch, filibom

Ritsch, ratsch, fi-li-bom bom bom, fi-li - bom bom bom, fi-li-

bom bom bom. bom bom bom, fi-li-bom! Fru

Sö - der - ström, fru Sö - der-ström, fru Sö - der-ström, fru

Sö - der - ström och lil - la mam - sell Roos, de

tvät - ta - de sej i sjö - a - vat - ten, sjö - a - vat - ten,

sjö - a - vat - ten, sjö - a - vat - ten klart.

Ritsch, ratsch...	*alla dansar medsols i ring med sidogaloppsteg, hand i hand med händerna i axelhöjd*
Fru Söderström...	*alla går motsols i rad*
de tvättade sig i...	*de dansande vänder sig mot ringens centrum; med händerna i sidorna gör alla sparksteg på plats*

Räven raskar över isen

Rä-ven ras-kar ö-ver i-sen. Rä-ven ras-kar ö-ver i-sen.

Få vi lov, och få vi lov, att sjung-a flic-kor-nas vi-sa. Så

här gör flic-kor-na var de gå, var de sit-ta och var de stå.

Få vi lov, och få vi lov att sjung-a flic-kor-nas vi-sa.

Räven raskar över isen

de dansande håller varandra i hand i ring och dansar med springsteg medsols

Så här gör flickorna var de går

alla niger

Får vi lov, och får vi lov

deltagarna dansar runt på stället och klappar i händerna lyftade över huvudet

Deltagarna härmar genom att göra något typiskt för den/dem som man tillägnar visan:

"Så här gör ... var de (han, hon) går

Visan varieras genom att "flickornas" byts ut mot t ex "pojkarnas", "mammornas", "pappornas" m fl eller vad man kommer överens om.

Sju vackra flickor

Sju vack - ra flic - kor i en ring, sju vack - ra flic - kor

i en ring, vack - ras - te flic - kor här om - kring,

i - bland de flic - kor al - la.

2
‖: Flickorna vända sig omkring, :‖
sökande efter vännen sin,
ibland de gossar alla.

4
‖: Nu kan jag vara riktigt gla'. :‖
Nu har jag fått den jag vill ha,
ibland de gossar alla.

3
‖: Vara vem det vara vill. :‖
Den som jag räcker handen till,
han får mitt unga hjärta.

Sju vackra flickor	*pojkarna dansar hand i hand medsols i ytterring; flickorna dansar hand i hand motsols i innerring*
Flickorna vända sig	*flickorna klappar i händerna och vänder sig om mot ytteringen och dansar motsols*
Vara vem det vara vill	*varje flicka bjuder upp den pojke som just passerar; de räcker varandra högerhänderna och svänger dem i takt med sången*
Nu kan jag vara riktigt gla'	*pojken och flickan klappar i händerna, tar sedan varandras händer och dansar runt medsols med springsteg; reprisen dansas motsols*

Karusellen

C
Jung - fru, jung - fru, jung - fru, jung - fru skär,

Dm   G7   C
här är ka - ru - sel - len   som skall gå till kväl - len.

           G7   Am   C7
Ti - o för de sto - ra och fem för de små, skyn - da

F   G7   C
på, skyn - da på, nu skall ka - ru - sel - len gå. För

C   C7   F   G7
ha ha ha, nu går det så bra för An - ders - son och Pet - ters - son och

1. C   2. C
Lund - ström å ja'.   För   Lund - ström å ja'.

Jungfru, jungfru	*flickorna bildar ring genom att hålla varandra i händerna eller stå armkrok; pojkarna ställer sig bakom var sin flicka med händerna på hennes axlar; alla gör på stället sparksteg*
för ha, ha, ha	*sidgalopp medsols*
för ha, ha, ha (repris)	*sidgalopp motsols*

Hemma i världen

Mitt eget land

TEXT Beppe Wolgers
MUSIK Olle Adolphson
♩ 272

från mitt fön - ster hu - vud - sta'n lig - ger i mitt

rum och i ta - ket gör lyk - tor möns - ter

det är dumt men jag är väl dum. 2. Man

vi... ...har du hört nå-gon gång mu - si - ken när jag

fat - tar helt lätt din hand och i värl - den om -

kring finns ri - ken men dom är al - la sam - ma

land.

2

Man säjer att ensam är fri
den frie lär vara den starke.
Men du och jag blir ändå vi
och jorden får blommande marker
och nätterna skimrar av bloss
bara för oss ...

... för när mänskorna har varandra
bor de alla i samma land
och allting vi vill ge till andra
kan du få ur min öppna hand.
I min hand finns allt det jag drömmer
allt jag äger och allt jag har
och den rädsla som alla gömmer,
just på den är din hand ett svar.

3

Jag vet att en väldig raket
skall gå mot en främmande himmel
men säj mig en enda planet
som jorden, för den ger mig svindel!
Och därför så stannar jag kvar
jag vet jag har …

… liksom du någon plats på jorden
som jag kallar mitt eget land
det är så svårt att få tag på orden
men du vet hur det känns ibland
när man känner att allt är nära
och att allt finns en mening i
ska det vara så svårt att lära
det att människor – det är vi …

… har du hört någon gång musiken
när jag fattar helt lätt din hand
och i världen omkring finns riken
men dom är alla samma land …

Broder Jakob

♩ 272

Bro - der Ja - kob, bro - der Ja - kob! So - ver du? So - ver du?

Hör du in - te kloc - kan? Hör du in - te kloc - kan? Bing bang bång! Bing bang bång!

Franska
Frère Jacques, frère Jacques,
dormez-vous, dormez vous?
Sonnez les matines,
sonnez les matines:
Din, din, don!
Din, din, don!

Engelska
Are you sleeping, are you
sleeping,
brother John, brother John?
Morningbells are ringing,
morningbells are ringing:
Ding, ding, dong!
Ding, ding, dong!

Tyska
Bruder Jakob, Bruder Jakob,
schläfst du noch, schläfst du
noch?
Hörst du nicht die Glocken?
hörst du nicht die Glocken:
Ding, dong, dong!
Ding, dong, dong!

Danska

Mester Jakob, mester Jakob,
sover du, sover du?
Hörer du ej klokken,
hörer du ej klokken
ringe tolv,
ringe tolv?

Norska

Fader Jakob, Fader Jakob,
sover du, sover du?
Hörer du ej klokka?
Hörer du ej klokka:
Bing, bing, bang!
Bing, bing, bang!

Finska

Jaako kulta, Jaako kulta,
herää jo, herää jo?
Kellojasi soita,
Kellojasi soita:
Piom, poum, poum!
Piom, poum, poum!

"Indianspråk"

Fotsin Jako, fotsin Jako,
nisbetja, nisbetja?
Timbati relimso,
timbati relimso:
Tom, peng, pung!
Tom, peng, pung!

Lincolnvisan

Text Hans Henrik Hallbäck
Musik Trad
♩ 272

Har ni hört den för-skräck-li-ga hän-del-sen, den är
sann för den hän-de just nu, när som kung-en av nord-lig A-
me-ri-ka blev skju-ten, ja skju-ten mitt i-tu? Skru-va
lut-tan tjong, fa-de-ral-lan lej skru-va lut-tan tjong fa-de-

rej. När som kung - en av nord - lig A - me - ri - ka blev

skju - ten, ja skju - ten mitt i - tu?

2
Han gick ut för att se komedianterna
för det roade hans majestät,
men inte så kunde han väl tänka
att han skulle bli skjuten just för det.
Skruva luttan …

3
På en stol satt han gladelig och tittade
hur de spelte en grann komedi.
Han var klädd i de finaste kläder
och stövlar med saffian uti.
Skruva luttan …

4
Men så kom där en bov genom dörren.
Usch så hiskeligt ful han såg ut!
Och i handen så bar han ett geväder
som var laddat med kulor och med krut.
Skruva luttan …

5
Och så sköt han den kungen i planeten
så att huvudet skutta från hans hals.
Och blodet det skvätte på tapeten
och kammartjänarn frågte: "Va befalls?"
Skruva luttan …

6
Och så lade de kungen på ett papper
och strök balsamir uti hans hår,
och kungen han tog sig åt huvet:
"De va fasligt så illa jag mår!"
Skruva luttan …

7
"Nu ajöss mina vänner", sa konungen,
uti himlarnas glädje jag far,
där små änglar de vifta med handen
ty så innerligt roligt de har.
Skruva luttan …

8
Och så dog den beskedelige konungen
och är salig jag tänker just nu.
Men hin onde må taga den boven
som sköt den kungen mitt itu!
Skruva luttan …

I en sal på lasarettet

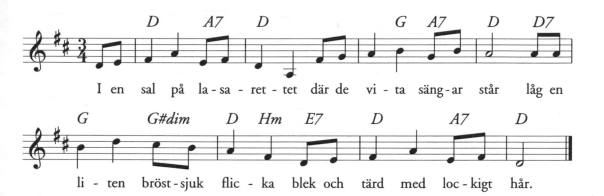

I en sal på la-sa-ret-tet där de vi-ta säng-ar står låg en

li-ten bröst-sjuk flic-ka blek och tärd med loc-kigt hår.

2
Allas hjärtan vann den lilla
där hon låg så mild och god.
Bar sin smärta utan klagan
med ett barnsligt tålamod.

3
Så en dag hon frågar läkarn,
som vid hennes sida stod:
Får jag komma hem till påsken
till min egen lilla mor?

4
Läkarn svarar då den lilla:
Nej mitt barn, det får du ej,
men till pingsten kan det hända
du får komma hem till mor.

5
Pingsten kom med gröna björkar
blomsterklädd står mark och äng,
men den lilla sjuka flickan
låg där ständigt i sin säng.

6
Så på nytt hon frågar läkarn
som vi hennes sida står:
Får jag komma hem till hösten
till min egen lilla mor?

7
Läkarn svarar ej den lilla,
men strök sakta hennes hår,
och med tårar i sitt öga
vänder han sig om och går.

8
Nu hon slumrar uti mullen
slumrar sött i snövit skrud.
Från sin tåligt burna längtan
har hon farit upp till Gud.

Möte i Monsunen

TEXT Evert Taube
MUSIK Evert Taube
♩ 272

Vi möt-te ett skepp i den sval-kan-de mon-sun där vi
ång-a-de mot Rö-da Ha-vet opp, en full-
rig-ga-re det var och dess namn var Ta-i-fún, som nu
seg-la från Ost-in-dien till Good Hope.

2.
Vår kapten gav order vi skulle hissa flagg
och vi hissade den gula och den blå,
och i samma stund så blåste från skeppets gaffelnock
Finlands vita flagg med blåa korset på.

3
Vi höll ganska nära och stoppade maskin
för att preja och ta budskap med oss hem,
och då lovade hon opp där hon gick med vinden in
ifrån babord, och vi rodde bort till dem.

4
Vi fick ända från backen och lejdare midskepps
och vår fjärde styrman äntra upp på den,
men i röstet står en svensk sjöman som jag nu återser
Fritiof Andersson, min gamle barndomsvän.

5
Ja, man möts ju ibland i monsuner och passad
när man seglar mest på värmen som vi gjort,
jag blev likväl rätt förvånad fastän ändå mera glad,
när jag återsåg min vän på denna ort.

6
– Jag blev held up i Kina, jag blev rånad i Shanghai,
jag har suttit hos pirater uti pant,
men jag gifte mig med dotteren till mördaren Fu Wai,
sade Fritiof, det är hemskt, men det är sant.

7
– Med kinesiskans hjälp kom jag sen til Singapore,
utan pass och pengar står jag på ett torg
när en man i guldgaloner plötsligt fram emot mig går,
Sveriges konsul, kapten Fredrik Adelborg.

8
– Se goddag, Fritiof Andersson, säger Adelborg,
vad i herrans namn gör du i Singapore?
– Ifrån Gula floden kommer jag och vill till Göteborg,
det är bäst att en hyra hem jag får.

9
– Jag blev klädd i vita kläder, jag fick låna tie pund,
jag fick pass med Kungens vapen och porträtt,
konsulinnan bjöd på te och jam och pratade en stund,
hon var det sötaste jag dittills hade sett.

10
– Ja, så tog jag en steamer och mönstrade på däck
och i Siam fick vi last av vilda djur,
tigrar, lejon, elefanter, som de sålt till Hagenbeck,
som du varit hos i Hamburg, eller hur?

11
– Men den resan var värst utav alla, det är sant,
syd om Ceylon gick vi in i en cyklon,
ut ur buren smet ett lejon och rök på en elefant,
vrålet blandades med storm och böljors dån.

12
– Snart var luckorna bräckta och upp kom många djur,
vår kommandobrygga den gick över bord,
elefanten knäckte masterna och kastade en tjur
uti havet, gosse, sanna mina ord!

13

– Ja, Hagenbecks ombud åt lejonet ju opp
en gorilla klättra ner i vår maskin.
För att härma maskinisten slog hon fram och back och stopp,
tills jag sköt henne med skepparens karbin.

14

– Det var självaste Nemesis från djunglarna, min vän!
Snart var bara jag och elefanten kvar.
När cyklonen gått så fick vi en sydväst monsun igen
och drev in till Camarin på Malabár.

15

– Men nu säger jag adjö för din styrman går från bord.
– Ja, men Fritiof, elefanten vem fick den?
– När vi träffas nästa gång skall jag besvara dina ord,
vi skall segla nu och sätta kurs igen!

16

Och de brassade för fyllning och började sin gång
och tillbaka till vår skuta rodde vi
och där gick hon i monsunen och jag hörde deras sång:
– Rolling home, rolling home, across the sea!

17

Men jag räkna alla segel och räkna omigen
ifrån flying jib till röjlar och mesan,
Det var summa tjugotvå vita segel som där gick
på den glittrande blåa ocean.

Oxdragarsång

TEXT Evert Taube
MUSIK Evert Taube
♩ 273

Allt bakom ox-ar ti-o från sta-dens sus och dus jag res-te kloc-kan ni-o, mitt mål var San-ta Cruz. Med

fy - ra ton på kär - ran, gui - tar - ren i min hand, jag

spe - la - de för Her - ran och sjöng om Pam - pas land. Dra,

dra min gam - la ox - e det bäs - ta du för - mår! Bra,

bra min gam - la ox - e! Där - hem - ma klö - vern står. Och

knir - ra knar - ra knir - ra min kär - ra, knirr och knarr! Och

dir - ra dar - ra dir - ra var sträng på min gui - tarr!

2
Må rika damer vila
i gyllene gemak,
jag och min bruna Lila
inunder bambutak
vid fattigdomen snuddar,
men hon är ung och varm,
det finns ej bättre kuddar
än hennes runda barm.

Dra, dra min gamla oxe det bästa du förmår!
Bra, bra min gamla oxe! Där hemma klövern står.
Och knirra knarra knirra min kärra, knirr och knarr!
Och dirra darra dirra var sträng på min guitarr!

Pepita dansar

TEXT Evert Taube
MUSIK Evert Taube
♩ 273

Den mor-gon när jag föd-des då blom-ma-de var dal, den
af-ton när jag döp-tes då sjöng en näk-ter-gal. Fer-
nan-do, Fer-nan-di-to, jag flyd-de från vår by, från
hyd-dan un-der pal-men när må-nen stod i ny. Tam-bo-
ri-to i Pa-na-má! Tam-bo-ri-to! Tam-bo-ri-to, Tam-bo-
ri-to i Pa-na-má!

2
Fernando, Fernandito,
o, säg mig var du går!
Jag sökte dig i kyrkan
med slöjan på mitt hår.
Jag sålde några blommor,
men röda jorden brann,
du fick min första kärlek,
du tog den och försvann.
Tamborito i Panama! ...

3
Den första kärleken så söt,
som socker kan den vara,
den andra kärleken ger tröst,
den tredje – handelsvara!
Jag såg din båt vid stranden
med seglet som jag sytt,
det sjöng i bambumasten:
din älskare har flytt!
Tamborito i Panama! ...

4
Fernando, Fernandito,
jag dansar som i rus
min hembygds tamborito
i Panamas glädjehus!
Fernando, Fernandito,
små märken gör min fot,
ser du mitt spår i smutsen
så kyss det, och gör bot!
Tamborito i Panama! ...

5
När kvinnor älska mer än en,
då börja de bli sluga.
(Om det första ljuset slocknar
så kan väl det andra duga!)
Fernando, Fernandito,
du ser min kavaljer!
Här dansar din Pepita
i glädjens kvarter.
Tamborito i Panama! ...

Änglamark

TEXT Evert Taube
MUSIK Evert Taube
♩ 273

Kal - la den Äng - la - mar - ken el - .ler Him - la - jor - den om du vill,

jor - den vi ärv - de och lun - den den grö - na, vild - ro - sor och

blå - sip - por och lind - blom - mor och ka - mo - mill, låt dem få

le - va, de är ju så skö - na! Låt bar - nen dan - sa som

äng - lar kring lönn och alm, le - ka titt - ut mel - lan blom - man - de

gre - nar, låt fåg - lar le - va och sjung - a för oss sin psalm,

I natt jag drömde
(Last night I had the strangest dream)

Text Ed McCurdy
Svensk text Cornelis Vreeswijk
Musik Ed McCurdy
♩ 274

I natt jag dröm-de nå-got som jag ald-rig drömt för-ut, jag dröm-de det var fred på jord och al-la krig var slut. Jag dröm-de om en jät-te-sal, där stats-män satt på rad. Så skrev dom på ett kon-vo-lut och res-te sig och sa:

2
Det finns inga soldater mer,
det finns inga gevär
och ingen känner längre till
det ordet militär.
På gatorna gick folk omkring
och drog från krog till krog
och alla drack varandra till
och dansade och log.

Jag hade en gång en båt

TEXT: Cornelis Vreeswijk
MUSIK Trad
♩ 274

Jag ha-de en gång en båt med se-gel och ruff och köl,

men det var för läng-e-sen, så läng-e-sen.

Sva-ra mej, du! Var är den nu?

Jag ba-ra und-rar, var är den nu?

2
Jag hade en gång en dröm,
jag trodde att den var sann,
så väcktes jag ur min sömn
och drömmen försvann.
Svara mej, du! Var är den nu?
Jag bara undrar, var är den nu?

3
Det fanns en gång en soldat,
han kysste sin mor farväl,
han sa till sin flicka:
"Du, jag kommer igen."
Svara mej, du! Var är han nu?
Jag bara undrar, var är han nu?

4
Det fanns en gång en stad,
i parken där lekte barn,
så släppte man ned en bomb
och staden försvann.
Svara mej, du! Var är den nu?
Jag bara undrar, var är den nu?

5
Jag hade en gång en båt,
jag drömde en gång en dröm,
men det var för längesen,
så längesen.
Svara mej, du! Var är dom nu?
Jag bara undrar, var är dom nu?

Brev från kolonien

SVENSK TEXT Cornelis Vreeswijk
MUSIK Amilcare Ponchielli och Alan Sherman
♩ 274

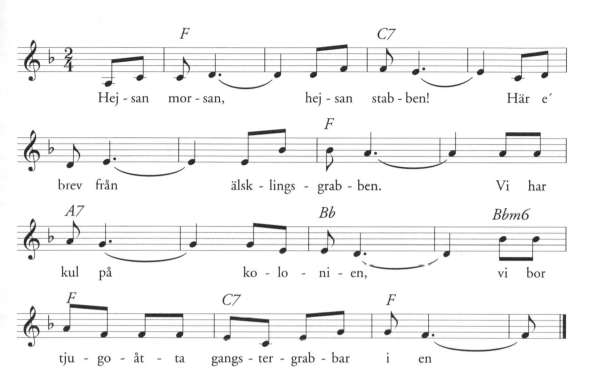

Hej - san mor - san, hej - san stab - ben! Här e'

brev från älsk - lings - grab - ben. Vi har

kul på ko - lo - ni - en, vi bor

tju - go - åt - ta gangs - ter - grab - bar i en

2
stor barack med massa sängar.
Kan ni skicka mera pengar?
För det vore en god gärning,
jag har spelat bort vartenda dugg på tärning.

3
Här e' roligt vill jag lova
fastän lite' svårt att sova.
Killen som har sängen över mej,
han vaknar inte han när han behöver, nej!

4
Jag har tappat två framtänder
för jag skulle gå på händer
när vi lattjade charader,
så när morsan nu får se mej får hon spader.

5
Uti skogen finns baciller
men min kompis han har piller
som han köpt utav en ful typ
och om man äter dom blir man en jättekul typ.

6
Föreståndar'n han har farit,
han blir aldrig va' han varit
för polisen kom och tog hand
om honom för en vecka när vi lekte skogsbrand.

7
Uti skogen finns det rådjur.
I baracken finns det smådjur,
och min bäste kompis Tage
han har en liten fickkniv inuti sin mage.

8

Honom ska dom operera.
Ja, nu vet jag inge' mera.
Kram och kyss och hjärtligt tack se'n
men nu ska vi ut och bränna grannbaracken.

Turistens klagan

TEXT Cornelis Vreeswijk
MUSIK Cornelis Vreeswijk
♩ 274

2

Över mitt huvud svävar en kolsvart gam,
i rummet bredvid mitt sjunger en tokig dam.
Och jag är lite trött och tveksam men deras sång är gla'!
– Om inga ungar funnes så sluta' ja'!

3

Min dam, att språket slinter i vissa fall...
...på grund av snö som blöter... fast den är kall...
Stor sak däri. Skidåkning har också charm!
Gnid in Ditt skinn med nässlor, så blir du varm...

4

Men det ska vara nässlor från Vikens kant
och inga sneda nässlor från ruinens brant!
Bevara oss från dem som dessa saluför.
Oss. Och de glada barnen här utanför.

5

När inga ungar längre finns är allting slut.
Vad är det då för mening om man står ut?
Visst har det blivit kaos i tidens lopp,
men så länge det finns ungar så finns det hopp!

Hej hå
(Heigh Ho)

TEXT Larry Morey
SVENSK TEXT Karl-Lennart
MUSIK Frank Churchill
♩ 274

Vårt hugg, hugg, hugg, hugg, hugg, hugg, hugg hörs i gru - van da - gen lång. Vårt hugg, hugg, hugg, hugg, hugg, hugg, hugg det tar vi glatt med sång. På är - ligt sätt blir vi ri - ka lätt ge - nom hugg, hugg, hugg med spa - de el - ler spett i ett berg, i ett berg, som har

ä - del - ste - nars färg. Hej

hå, hej hå, vi till vår gru - va gå, *(vissling)*

hej hå, hej hå, hej hå, hej

hå, hej hå, vi till vår gru - va gå. *(vissling)*

1.
Hej hå, hej hå, hej hå! Hej

2.
hå, hej hå!

En tokig sång
(A silly song)

TEXT Larry Morey
SVENSK TEXT Bernt Dahlbäck
MUSIK Frank Churchill
♩ 274

Vers
Jag är så glad, så jät - te - glad, och sjung - er des - sa ra - der, för jag är jämt på gott hu - mör så de kal - lar mig för Gla - der.

Refr.
Ha, ha, vad jag blir glad ut - av den här mu - si - ken. Ha, ha, vad jag blir glad och ing - en blir be - svi - ken. svi - ken.

2
Jag är så blyg, så jätteblyg,
strax härifrån jag smyger.
Jag rodnar när de ser på mig
och därför kallas jag för Blyger.

Refr:
Oj, oj, vad jag är blyg,
när jag ska till att sjunga.
Oj, oj, vad jag blir blyg,
nu låser sig min tunga.

3
Jag skuttar gärna kring i dans
men jag har tappat takten.
Jag ser den inte någonstans.
Var kan jag ha förlagt den?

Refr:
Ha, ha, vad jag blir glad
utav den här musiken.
Ha, ha, vad jag blir glad
och ingen blir besviken.

4

Jag fångade en räv en dag
men räven gled ur näven.
Fast lika glad för det är jag,
men gladast är nog räven.

Refr:

Ha, ha, vad jag blir glad
utav den här musiken.
Ha, ha, vad jag blir glad
och ingen blir besviken.

Bibbidi bobbidi boo
(The magic song)

Text Jerry Livingston
Svensk Text Gardar Sahlberg och Karl-Lennart
Musik Mack David och Al Hoffman
♩ 274

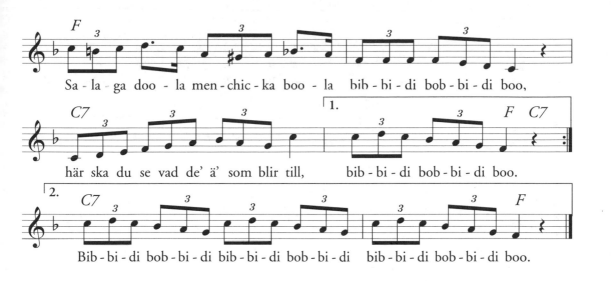

Sa - la - ga doo - la men - chic - ka boo - la bib - bi - di bob - bi - di boo,

här ska du se vad de' ä' som blir till, bib - bi - di bob - bi - di boo.

Bib - bi - di bob - bi - di bib - bi - di bob - bi - di bib - bi - di bob - bi - di boo.

Apans sång
(I wan'na be like you)

Text Richard M. Sherman och Robert B. Sherman
Svensk text Martin Söderhjelm
Musik Richard M. Sherman och Robert B. Sherman

Jag kung - en är ö - ver al - la här un - der

trä - dens grö - na höjd. Jag har nått opp till

hög - sta topp, men än - nu är jag ej nöjd. Jag

vill ju bli en man, en män - ska, och kun - na allt ni

2

Försök inte lura mej, gosse,
jag inga konster tål.
Att lära mej
hur eld blir till
är mina drömmars mål.
Din hemlighet vill jag veta,
seså, säj hur det går till.
För då blir jag visst
en man till sist,
och det är vad jag vill!

Oh, ooo be do …

3

Jag måste lära mej leva
som mänskor lever nu.
För då blir jag
ju likadan,
precis likadan som du.
Se till att jag nu får veta
hur mänskor sej beter.
Så att jag kan
ta alla i hand
och dom sin vänskap mej ge!

Oh, ooo be do …

Alla snubbar vill ju vara katt
(Ev'rybody wants to be a cat)

Text Floyd Huddleston
Svensk text Doreen Denning
Musik Al Rinker
♩ 275

Al - la snub - bar vill ju va - ra katt för att en katt är all - tid katt, ja, katt för sin hatt. Säg mej, al - la snub - bar tän - der ju på en ri - vig låt men ba - ra en katt för - står sej på't. Ett sån't cor - ny spel gör att all - ting blir fel. Var - je ton han tar och med ett fyr - kan - tigt spel så blir man di - rekt en del ut - av sten - ål - dern... Za za za za o - lé! Jag hör - de just en trast som lät helt

katt för sin hatt. Man spe-lar jazz och man blir pop-pis
där - för att var-en-da själ vill va' en li-rar-katt.

Oo-de-lally

TEXT Roger Miller
SVENSK TEXT Doreen Denning
MUSIK Roger Miller
♩ 275

Ro - bin Hood och Lil - le John går i - ge-nom sko - gen,

har så sko-jigt med var-ann i gla-da vän-ners lag.

Tän - ker på den gla-da tid dom upp-levt med var - and - ra.

Oo - de-lal - ly, oo - de-lal - ly, hopp-san vil-ken dag!

Ing - en kun-de nån-sin tro att vatt-net som dom dric-ker kun-de

va - ra nå - got far - ligt i sej. Ing - en av dom kun - de tän - ka

att she - rif - fen tänk - te drän - ka bå - da i ett en - da stort tjo - hej.

Oo - de - lal - ly, oo - de - lal - ly, hopp - san, vil - ken dag!

2

Robin Hood och Lille John
springer genom skogen,
känner inga bojor,
lever efter egen lag.

Tänker bara på sitt fria liv
och hur man klarar sej.
‖: Oo-de-lally, oo-de-lally,
hoppsan, vilken dag. :‖

Du och jag

Text Kerstin Pålsson
Musik Kerstin Pålsson
♩ 275

Vi ta - lar in - te li - ka - dant, för - står än - då var - and - ra. Och

fast jag in - te kän - ner dig, vi hand i hand ska vand - ra.

Du och jag, du och jag.

2
Så många vuxna människor
har glömt att vara vänner.
Jag undrar om dom riktigt vet
hur barn i världen känner.
Du och jag, du och jag.

3
För svarta, gula, vita barn
från alla jordens länder
har samma skratt och samma gråt
vad än i världen händer.
Du och jag, du och jag.

Du är min bästa kompis
(Best Friends)

TEXT C Ravosa och M Jones
SVENSK TEXT Birger Nilsson
MUSIK C Ravosa och M Jones
♩ 275

Du är min bäs - ta kom - pis och du är
helt o - key. Tänk om jag var en del av
dej och du en del av mej.

Om du var ett träd - gårds - land vo - re jag ditt frö,
Om du var en kon - duk - tör vo - re jag ditt tåg,

om du var en li - ten häst vo - re jag ditt hö.
om du var en li - ten båt vo - re jag din våg.

2

Om du var ett litet får
vore jag ditt lamm.
Om du var en liten fisk
vore jag din damm.
Om du var en skräddare
vore jag din sax.
Om du var en fiskare
vore jag din lax.

Du är min bästa kompis…

3

Om du var en stickkontakt
vore jag din sladd.
Om du var ett litet bi
vore jag din gadd.
Om du var en elgitarr
vore jag din sträng.
Om du var en blombukett
vore jag din äng.

Du är min bästa kompis…

Bangzulu sång

TEXT Mats Andersson och Mats Bengtsson
MUSIK Mats Andersson och Mats Bengtsson
♩ 275

Bang - zu - lu, ve - ge - ta - risk kan - ni - bal. Bang - zu - lu, kung i

djung - elns grö - na sal. Bang - zu - lu, kan trol - la vad du vill. Håll

hårt i hand, sitt ba - ra still, vi å - ker till hans land!

Sträck ut din hand

TEXT Lars Berghagen
MUSIK Lars Berghagen
♩ 276

Gåt-ful-la jord, du gör mig för-und-rad, fri-he-tens tid läm-nar märk-li-ga spår. Ö-gon av sorg sö-ker him-me-lens stjär-nor som spri-der sitt ljus på den väg där vi går. Sträck ut din hand och finn en hand i din, så gjor-de jag och fann en hand i min. Sträck ut din hand och bygg en mänsk-lig bro vi byg-ger från

land till land, sträck ut din hand. 2. Öpp - na din

famn.

2
Öppna din famn för resten av världen,
du är en del av allt det som sker.
Sprid du ditt ljus så som himmelens stjärnor,
ge av dig själv så som stjärnorna ger.

Sträck ut din hand och finn en hand i din ...

David och Goljat

TEXT Britt G Hallqvist
MUSIK Bertil Hallin
♩ 276

I fyr - tio lång - a da - gar han skrek och skröt och svor, den

star - ke jät - ten Gol - jat som var så jät - te - stor. Med kop - par - hjälm på hjäs - san och

pan - sar, sköld och spjut och sto - ra tjoc - ka ben - skydd såg han för - fär - lig ut.

2
"Ni små israeliter
stig fram, stig fram, jag ber!
Om någon orkar klå mig,
då ska jag lyda er."
Och Saul sa till David,
när David ville slåss:
‖: "*Han* är en härdad stridsman,
och *du* är yngst bland oss." :‖

3
"Åh, jag har stritt med lejon!
I björnens skägg jag drog,
när jag gick vall med fåren.
Mig hjälper Herren nog."
Så fick han Sauls pansar,
men alltför tungt det var.
‖: Stav, slunga och fem stenar
det tog han till försvar. :‖

4
Så gick han emot jätten,
så liten, ljus och rak,
och Goljat han blev träffad
och stupade med brak.
Och alla filistéer
de flydde mycket fort,
‖: och stort beröm fick David
för det han hade gjort. :‖

Titta vad jag fann

TEXT Britt G Hallqvist
MUSIK Bertil Hallin
♩ 276

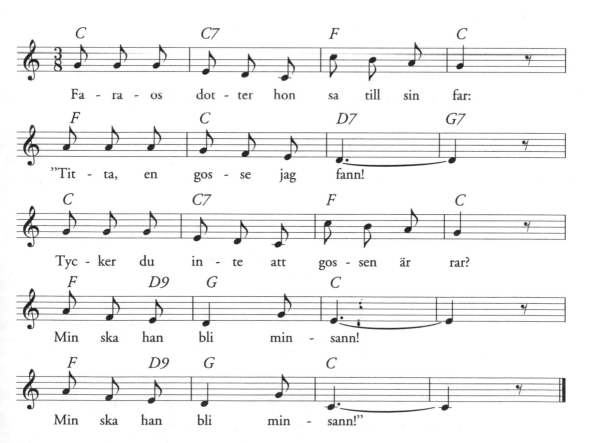

Fa - ra - os dot - ter hon sa till sin far:

"Tit - ta, en gos - se jag fann!

Tyc - ker du in - te att gos - sen är rar?

Min ska han bli min - sann!

Min ska han bli min - sann!"

2

Nere på Nilen
i vaggan han flöt,
liten och ensam och rädd.
Tycker du inte att gossen är söt?
‖: Nu ska han få en bädd. :‖

3

Blöjor av linne
prinsessan ska sy,
skjorta med krås och rosett.
Hör, han är hungrig, nu börjar han gny!
‖: – Tyst, du ska strax bli mätt. :‖

4

När du har ätit
då vaggar jag dig,
vaggar dig mjukt i min famn.
Böljan har burit en gosse till mig.
‖:Mose är gossens namn. :‖

Vi sätter oss i ringen

Psalm 608

TEXT Margareta Melin
MUSIK Lars Åke Lundberg
♩ 276

Vi sät-ter oss i ring-en och tar var-ann i hand. Vi är en mas-sa sys-kon som tyc-ker om var-ann. För Gud är al-las pap-pa och jor-den är vårt bo. Och vi vill va-ra vän-ner med al-la, må ni tro.

2

Vi sätter oss i ringen
och tar varann i hand.
Vi är en massa syskon
som tycker om varann.
Tack gode Gud för jorden
och alla människor.
Gör en familj av alla,
en enda jättestor.

© Text: Margareta Melin. Musik: Lars Åke Lundberg

Tryggare kan ingen vara
Psalm 248

TEXT Lina Sandell-Berg
MUSIK Tysk folkmelodi
♩ 276

2

Herren sina trogna vårdar
uti Sions helga gårdar;
över dem han sig förbarmar,
bär dem uppå fadersarmar.

3

Ingen nöd och ingen lycka
skall utur hans hand dem rycka.
Han, vår vän för andra vänner,
sina barns bekymmer känner.

4

Gläd dig då, du lilla skara:
Jakobs Gud skall dig bevara.
För hans vilja måste alla
fiender till jorden falla.

5

Vad han tar och vad han giver,
samme Fader han dock bliver,
och hans mål år blott det ena:
barnens sanna väl allena.

Du gamla, du fria

Text Richard Dybeck
Musik Folkmelodi
♩ 277

Du gam - la, du fri - a, du fjäll - hö - ga Nord, du tys - ta, du gläd - je - ri - ka skö - na! Jag häl - sar dig, vä - nas - te land up - på jord, din sol, din him - mel, di - na äng - der grö - na, din sol, din him - mel, di - na äng - der grö - na!

2

Du tronar på minnen från fornstora dar,
då ärat ditt namn flög över jorden.
Jag vet att du är och du blir vad du var.
||: Ja, jag vill leva, jag vill dö i Norden! :||

Gladsång och poplåt

Josefin

Text Theodor Larsson
Musik Theodor Larsson
♩ 277

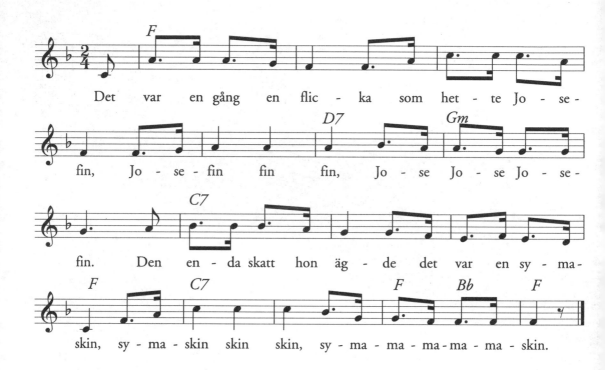

Det var en gång en flic - ka som het - te Jo - se -
fin, Jo - se - fin fin fin, Jo - se Jo - se Jo - se -
fin. Den en - da skatt hon äg - de det var en sy - ma -
skin, sy - ma - skin skin skin, sy - ma - ma - ma - ma - ma - skin.

2
Hon hade ock en fästman som hette Jonatan,
Jonatan tan tan, Jona Jona Jonatan,
och han var inte fager men hon var likadan,
likadan dan dan, lika lika likadan.

3
Han ägade en skuta som uppå böljan for,
böljan for for for, böljan böljan böljan for,
den hade han fått ärva utav sin gamla mor,
gamla mormorsmor, gamla mormorsmormors-
mor.

4
Han skrivade ett brev till sin kära Josefin,
Josefin fin fin ...
och bjödna uppå skutan med hennes symaskin,
symaskin skin skin ...

5
Och när de hade seglat uppå den blåa sjö,
blåa sjö sjö sjö, blåa blåa blåa sjö,
de stötte mot en klippa invid den gröna ö
gröna ö ö ö, gröna gröna gröna ö.

6
Och Jonatan han sade:" Jag tror vi sitter fast,
sitter fast fast fast, sitter sitter sitter fast,
jag tror vi måste slänga en del av vår ballast,
vår ballast last last, vår ba vår ba vår ballast."

7
Så slängde han ballasten och det var symaskin,
symaskin skin skin ...
och efter den så slängde han sin kära Josefin,
Josefin fin fin ...

8

Nu går han där och sörjer sin kära Josefin,
Josefin fin fin …
som sitter där på havets djup och trampar symaskin,
symaskin skin skin …

Spel-Olles gånglåt

TEXT Kerstin Hed
MUSIK Daniel Grufman
♩ 277

Lö - ven de gröns - ka i sol kring al - la vä - gar och
al - la lär - kor sjung - a den lång - a vå - rens dag.
Hän ge - nom ha - gar jag gång - ar som jag plä - gar en
stac - kars fat - tig spel - man en spe - le - man är jag.
Sol, sol, sol i de glim - man - de snår; sol, sol är det

var jag går, en spe - le - man, en hjär - te - glad, en
spe - le - man, en spe - le - man är jag.

2
Ute i världen där tiga alla sånger
och glädjen är en fejla, som mist varenda sträng.
Går jag än ensam och sorgsen många gånger,
skall dock min visa klinga som lärksång över äng!
Sång, sång, sång ger mig lyckan igen,
sång, sång blir min följesven,
klinge därför visan min
som lärkesång, som lärksång över äng.

3
Kommen, I unga, när aftonsolen dalar
och alla byar rodna omkring vår klara sjö!
Låtom oss sjunga en visa, som hugsvalar
och alla våra sorger för himmelens vindar strö!
Glöm, glöm allt, som gör hågen så tung,
glöm, glöm, var blott glad och sjung
en låt som strör sorgerna ut,
strör sorgerna för himlens vindar ut!

4
Kan jag väl klaga, när i den gröna hagen
jag hör hur trasten spelar sin flöjt med raska tag.
Gökarna ropa den hela långa dagen,
och ängens alla blommor mig dofta till behag!
Sol, sol, sol i de glimmande snår,
sol, sol är det vart jag går,
en speleman, en hjärteglad,
en speleman, en speleman är jag!

Sill i dill

Text Birgitta Nordström
Musik Trad
♩ 277

Mors lil-la Ol-le *(Mors lilla Olle)* i sko-gen gick, *(i skogen gick)etc.* ro-sor på kin-den och sol-sken i blick. Men blick-en gick sön-der i slags-mål med bön-der om en säck po-ta-tis om en tun-na sill, sill i dill, sill i dill, sill i dill-dill-dill.

2
Sankta Lucia
snart är det jul.
Då kommer tomten
och då blir det kul.
Men kulan gick sönder
i slagsmål med bönder
om en säck ...

3
Framåt i bussen
så långt som det går,
för det finns så många
som på gatan står.
Men gatan gick sönder
i slagsmål med bönder
om en säck ...

4
Jonas i öknen
han trampa' och gick,
sand mellan tårna
var allt som han fick.
Men fickan gick sönder
i slagsmål med bönder
om en säck ...

5
Adam och Eva
i Paradiset gick,
dom hade inga kläder
så fikonlöv dom fick.
Men löven gick sönder
i slagsmål med bönder
om en säck ...

I Medelhavet

I Me-del-ha - vet, sar-di-ner sim - mar,

a - pu a - pu, a - pu a - pu.

Men i mitt hjär - ta där sim-mar du,

a - pu a - pu, a - pu a - pu.

Låtsasengelska:
In middle ocean
sardines are swimming,
apu apu, apu apu.
But in my heart
are swimming you,
apu apu, apu apu.

Låtsasryska:
I Medelhavski
sardinski simski
apusskidusski, apusskidusski.
Men i mitt hjärtski
där simski dusski,
apusskidusski, apusskidusski.

Låtsastyska:
In Mittel-Mehre
Sardinen schwimmen,
apu apu,apu apu.
Aber in mein Hertz
da schwimmst ja Du,
apu apu, apu apu.

Låtsasnorska:
I Medelhavet
sardiner svömme,
apu apu,apu apu.
Men i min blopump
där plasker du,
apu apu, apu apu.

Hemma på vår gård

Där hem-ma på vår gård, där står en gam-mal ford,

u-tan hjul och u-tan däck och mo-torn den är väck!

2
Och tittar man där bak,
så finns det inget flak.
Och tittar man där gubben satt,
så finns det ingen ratt!

3
Den går på terpentin
och smör och brännevin.
Den går som en trumpetraket
i Johanssons staket!

4
Och Johansson kom ut
med bössan full av krut.
Sen så minns jag inget mer,
så nu är visan slut!

Spöket Huckehajen

TEXT Mats Bengtsson och barn från
Erikstorps fritidshem i Malmö
MUSIK Mats Bengtsson och barn från
Erikstorps fritidshem i Malmö
♩ 277

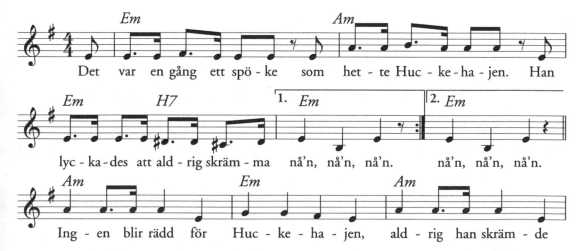

Det var en gång ett spö-ke som het-te Huc-ke-ha-jen. Han

lyc-ka-des att ald-rig skräm-ma nå'n, nå'n, nå'n. nå'n, nå'n, nå'n.

Ing-en blir rädd för Huc-ke-ha-jen, ald-rig han skräm-de

nå'n. Nä, ing-en blir rädd för Huc-ke-ha-jen

här i den-na sång.

2
Han skulle skrämma Kurre
men snubblade på bollen
så Kurre jaga spöket
ända hem, hem, hem.
||: Ingen blir rädd för Huckehajen :||

3
Han skulle skrämma katten
på en bro om natten
men snubbla på en cykel
och föll i, i, i.
||: Ingen blir rädd för Huckehajen :||

4
Han skulle gå i skolan
men kunde inte matten
så skolan det var ingenting
för han, han, han.
||: Ingen blir rädd för Huckehajen :||

© Krystyna Bengtsson

Tidigt varje morgon

TEXT Jan Christer Svensson
MUSIK Jan Christer Svensson
♩ 277

Ti-digt var-je mor-gon går jag ner till stran-den

för att se om jag fått nå'n fisk i mitt nät.

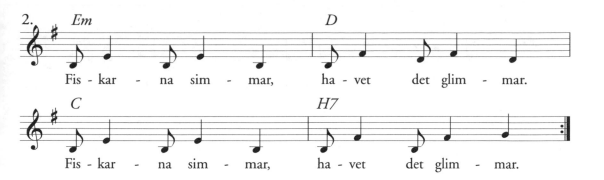

Fis - kar - na sim - mar, ha - vet det glim - mar.

Fis - kar - na sim - mar, ha - vet det glim - mar.

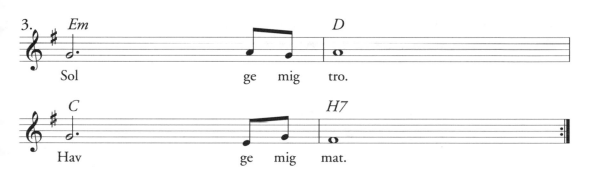

Sol ge mig tro.

Hav ge mig mat.

Man kan inleda sången med att viska
Fiskarna simmar, fiskarna simmar

Viskningen låter som vågskvalp.
Därefter sjunger man hela sången.

Fis-kar - na sim - mar.

© Jan Christer Svensson

Mellanmål

Text Monica Forsberg
Musik Kerstin Andeby och Peter Wanngren
♩ 278

Mel - lan - mål mel - lan - mål! Ät rätt, så

or - kar du mer! Tänk på vad du stop - par i ma - gen!

Mel - lan - mål, mel - lan - mål! Bli lätt mätt rätt
och slätt, så blir det full fart he - la da - gen!

Är du trött och vis - sen, jämt or - kes - lös och sur,
har du då - lig kon - dis och är en slö fi - gur? Då
är det dags att grun - da, ja ta ett mel - lan - mål, och
för - be - red för trä - ning och se vad krop - pen tål!

2
Varenda liten unge behöver energi,
ta en knäckemacka och fil med flingor i,
vi rör på hela kroppen, det känns att vi mår bra,
med mellanmål i magen känner man sig gla´!
Mellanmål...

© Text: Monica Forsberg. Musik: Musikrummet

Klara färdiga gå

Text Kerstin Andeby
Musik Kerstin Andeby och Peter Wanngren
♩ 278

Al - la go - da gla - da pig - ga vän - ner det är vi!

Spring - er hop - par tjo - ar skrat - tar oj, vad vi tar i!

Al - la kan va' me', ing - en står bre - ve', al - la mi - na kom - pi - sar är

med! Det är Sti - na Per och Ul - la Ma - de - leine och Ca - ro - lin,

Fred - rik Britt och E - lin Nis - se An - ton och He - len, An - ders An - na Ar - ne Ast - rid

Ax - el och A - nett, Pat - rik Pi - a Pe - ter Paul Per - nil - la Per och Bo,

Nik - las och So - fie, Pel - le och Ma - rie och ja - a - ag! Kla -

ra fär - di - ga gå! Gå gå gå!

Gå! Gå! Gå! Gå gå gå!

2

Oj så många kompisar jag har som gör mig gla'
Tänk att ni har kommit hit, det är ju jättebra!
Alla kan va' me', ingen står breve',
Alla mina kompisar är me'!

Det är:
Olle, Nils och Sara, Alexander och Therese,
Emma, Jens och Lisa, Marcus, Jenny och Kristin,
Johan, Kalle, Mirjam, Malin, Ola, Siv, och Lars,
Henrik, Magnus, Lotta, Hans, Camilla, Sven och Rut
Bengt och Josefin, Max och Ann-Kristin och jag!

KLARA – FÄRDIGA – GÅ! …

3

Det är:
Viktor, Jesper, Tina, Albin, Frida, Emil, Mats,
Sune, Frans och Agnes, Stefan, Annika och Frej,
Tilda, Felix, Gustav, Linn, Maria och Louise,
Jonas, Martin, David, Jon, Johanna, Ann och Karl
Elisabet och John, Klara, Tim och Tom och jag!

KLARA – FÄRDIGA – GÅ! …

© Musikrummet

Äppelmelodin

Text Lollo Asplund
Musik Lollo Asplund och Per Douhan
♩ 278

Om du har ett äpp-le, vill du de-la det med mig, i en äp-pel-me-lo-di, El-ler vill du ha ditt go-da äpp-le för dig själv, och in-te få nån me-lo-di. De-la med sig

el - ler snå - la en van - lig frå - ga får man tå - la.

Om du har ett äpp - le vill du de - la det med mig, el - ler tar du he - la själv? Va!

Vi cyklar runt i världen

Musik Ulf Dageby
Text Ulf Dageby
♩ 278

Vi cyk - lar runt i värl - den, vi

spe - lar på ga - tor och torg, vi spe - lar på allt som

lå - ter, ja, till och med på vår hoj. Vi

spe - lar för små häs - tar som bju - der oss på

Toy. Vi spe - lar för gub - bar, spe - lar för gum - mor, spe - lar för

al - la som vill ha skoj! Vi spe - lar för gub - bar, spe - lar för

gum - mor, spe - lar för al - la som vill ha skoj!

2

Ibland när vi står där och spelar
så kommer det fram till oss
sura gamla gnetar
som inte gillar oss
Då vill dom köra bort oss
men vi kan inte slåss.
Då spelar vi bort dom
spelar vi väck dom
spelar dom ända till Veskafors!
Då spelar vi bort dom
spelar vi väck dom
spelar dom ända till Veskafors!

3

Tralla-la-la…
… Veskafors.
Tralla-la-la…
… Veskafors.

© Tryckt med tillstånd av Ulf Dageby

Yllevisan

TEXT Anders Melander
MUSIK Anders Melander
♩ 278

Jag är ett li - tet yl - le, boom - chi - ka, boom - chi - ka, boom boom boom, med

värl - dens mins - ta nyl - le, boom - chi - ka, boom - chi - ka, boom boom boom. Jag

le - ker i min yl - le - grop och yl - lar gla - da yl - le - rop:
Ylle! Ylle! Ylle på er, yl - li - hop!

2
Jag är så yllans liten
boom chi-ka boom chi-ka boom boom boom
fast inte i aptiten
boom chi-ka boom chi-ka boom boom boom
jag käkar en massa yllegarn
och ett och annat ylleflarn
Ylle! Ylle!
Ylle på er yllebarn!

3
Jag bor här mitt på bystan
boom chi-ka boom chi-ka boom boom boom
bland alla yllenystan
boom chi-ka boom chi-ka boom boom boom
Här kryllar det av kryllingar
och alla deras bryllingar
Ylle! Ylle!
Ylle på er yllingar!

4
Nu kryper jag i sängen
boom chi-ka boom chi-ka boom boom boom
på mjuka ylleängen
boom chi-ka boom chi-ka boom boom boom
En sömnig yllekrumelur
bör ofta ta en yllelur
Ylle! Ylle!
Ylle på er ylledjur!

© Anders Melander

Macken

Text Claes Eriksson
Musik Claes Eriksson
♩ 278

Kun-der-na kom-mer, kun-der-na går på Roy och Ro-gers mack.

Någ-ra är bei-ga, någ-ra är grå på Roy och Ro-gers mack.

Ro-ger la-gar mo-tor - block, bi-lar kör i krock, Roy säl-jer

lock. Roy och Ro-ger har en mack i-hop, Roy och Ro-ger har ett liv i-hop.

Roy och Ro-ger har en dröm, ett hopp, ett liv, en mack till - sam-mans.

Ol-jan rin-ner i en gam-mal tratt, ut-an-för kör nå-gon på en katt,

Roy och Ro-ger har en dröm, ett hopp, ett liv, en mack till - sam-mans.

2

Bilar blir klara. Bilar blir skrot.
På Roy pch Rogers mack.
Roger kör svetsen över sin fot
på Roy och Rogers mack.
Blommor vissnar i en vas,
bilar i extas,
Roy säljer gas.
Roy och Roger har en mack ihop.
Roy och Roger har ett liv ihop.
Roy och Roger har en dröm, ett hopp, ett liv,
en mack tillsammans.
Oljan rinner ur en gammal sko.
Utanför kör någon på en ko.
Roy och Roger har en dröm, ett hopp, ett liv,
en mack tillsammans.

3

Huvarna öppnas! Kolvarna spänns.
På Roy och Rogers mack.
Bilarna välter. Packningar bränns.
På Roy och Rogers mack.
Roger tappar bort en lapp.
Någonstans är det glapp.
Roger säljer Japp.
Roy och Roger har en mack ihop.
Roy och Roger har ett liv ihop.
Roy och Roger har en dröm, ett hopp, ett liv,
en mack tillsammans.
Oljan rinner ur en tom butelj.
Utanför kör någon på en fälg.
Roy och Roger har en dröm, ett hopp, ett liv,
en mack tillsammans.

© Claes Eriksson

En rullande pantarmaskin

TEXT Mikael Albertsson
MUSIK Mikael Albertsson
♩ 278

Na na na ...

Tit-ta nu på mig, så ska du få se. Jag har li-te gre-jor som e' "på G". Ra-dion här den ska jag ploc-ka i-sär. Wa oh-wow. Jag hål-ler på att

byg - ga det per - fek - ta, av ba - ra gam - la sa - ker som e' de - fek - ta. Du får hjäl - pa

till om du vill. Det finns en mo - tor här som man

kan ta loss. Här lig - ger rat - ten kvar en gam - mal ka - ross. Det blir per -

fekt för oss; En rul - lan - de pan - tar - ma - skin!

Un - der ap - pa - ra - ten mås - te vi ha hjul från en kund - vagn, det blir bra,

så kan vi dra den ef - ter bi - len. Det finns en

Änglahund

Text Hasse Andersson
Musik Hasse Andersson
♩ 278

Det var sent en kväll, vi ha-de spe-lat på en mark - nad.

Trött och fru-sen stod jag kvar ba-kom sce-nen en stund, när jag

hör-de nå-gon mum-la nå't om sak - nad. Där i

grä-set satt en man och en li-ten hund. Hej, du

spe-le-man, kan du sva-ra på min frå-ga? Den är

är-lig och jag me-nar var-je ord. När vår

Her-re släck-er li-vets lå-ga och det är

dags att läm-na den-na jord. Får man ta

hun - den   med   sig in   i   him - len?   Han är

snäll   och han   har   vatt'   en rik - tig   vän.   Han är

klok   och   fin   och   skat - ten är be - tald.   Får man

de'   du   spe - le - man   då blir   jag   glad.

2
Jag svarade lite enkelt, som man gör:
Du – din Hund kommer säkert till himmelen när den dör.
Nå'n ropar – de' e' dags att åka hem.
När jag satt där i bilen tänkte jag på frågan igen.

Hej, du speleman …

3
För honom var frågan så viktig
att han förtjänade ett ärligt svar.
Men vem kan svara riktigt
på om hundar som dör får på jorden stanna kvar.

Hej, du speleman …

Ooa hela natten

Text Lars-Åke Eriksson och Björn Uhr
Musik Lars-Åke Eriksson och Björn Uhr
♩ 279

För ja' ska o - a he - la nat - ten, o - a he - la da'n, o -

- a he - la nat - ten, skräm - ma slag på hal - va sta'n, o -

- a he - la nat - ten lång, tills du upp - täc - ker mej.

A - o a - o a - o a - o. O -

- a he - la nat - ten, o - a he - la da'n, o -

- a he - la nat - ten, skräm - ma slag på hal - va sta'n, o -

- a he - la nat - ten lång, tills du upp - täc - ker mej.

A - o a - o a - o a - o. A - o a -

o a-o a-o.

Fick en stöt ge-nom krop - pen, fick en knäpp upp i krop-

pen, klös - te re - por i bor - det när du gick för - bi.

Följ - de ef - ter för - trol - lad,

knock - ad, til - tad och nol - lad. Hör du ugg - lor i mos-

sen, ja då e' ja' där. För ja' ska För ja' ska

Öpp - na föns - tret, tit - ta på vad du kan få,

bätt - re än den vägg du stir - rar på. Helt i

di - na hän - der, ta mej dit du vill. Vill du till Pe - ru,

då stic - ker vi nu.   För ja' ska

2
Sitter stadigt på grenen,
bundit fast båda benen.
Ja' får svindel å dånar,
du syns bak gardin'.
Klättrar in på balkongen.
Håll mej fast, håll mej fången.
Men du ryggar tillbaks
me' en skräckslagen min.

För ja' ska oa hela natten …

Trettifyran
(This ol' house)

TEXT Stuart Hamblen
SVENSK TEXT Olle Adolphson
MUSIK Stuart Hamblen
♩ 279

Den - na kåk har va - rit vå - ran ut - i mång - a her - rans
år, den - na kåk har va - rit vår och det har
nog satt si - na spår. Den - na kåk den har hängt
i och den har stått i vått och torrt, men nu

är det slut på det, för nu skall tret - ti - fy - ran

bort. Ja, nu är det slut på gam - la ti - der, ja, nu är det

fär - digt i - nom kort. Nu skall he - la ras - ket

ri - vas, nu skall he - la ras - ket bort. Så jag

tar far - väl och sto - ra tå - rar rul - lar på min

kind. Nu är det slut på gam - la ti - der, nu går tret - ti -

fy - ran i him - len in. 2 Den - na fy - ran i him - len in.

2

Denna kåk var ganska rar
och släppte solsken till oss in,
den var också generös med fukt
och kyla, regn och vind.
Den var snäll och lite gnällig
och den ville alla väl,
och den var vår i alla väder
fastän gisten, ful och skev.

Men nu är det slut på gamla tider ...

3
Här i kåken har vi härjat
sen vi alla varit små,
här i kåken klådde morsan
vice värden gul och blå.
Ja, vår kåk har fått stå pall
för smällar hårda så det dög,
som när far gick genom väggen
så att spån och plankor flög!

Men nu är det slut på gamla tider ...

Jag vill ha en egen måne

TEXT Kenneth Gärdestad
MUSIK Ted Gärdestad
♩ 279

Du har då ald - rig trott på tå - rar, det pas-sar in - te
för en karl. Om man är ö - ver fem-ton vå - rar
finns ing - a käns-lor kvar. Du får för-stå två
vå - ta kin - der, dom tor-kar li - ka snabbt i - gen.
Man rår ej för att tå - rar rin - ner när man har mist sin vän.

Jag vill ha en e - gen må - ne,
som jag kan å - ka till, där jag kan glöm - ma att
du läm - nat mej.
Jag kan sit - ta på min må - ne och gö - ra vad jag vill,
där stan - nar jag tills all - ting ord - nat sig.

2
Du tror du vet hur allt ska vara,
du vet när allting passar sig.
Du lyssnar ej när jag ska förklara
hur jag känner mig.
Du bryr dig inte om mig mera,
och det har tagit mig så hårt.
Du kan väl aldrig acceptera
att nå'nting är svårt.

Jag vill ha en egen måne…

Sol, vind och vatten

Text Kenneth Gärdestad
Musik Ted Gärdestad
♩ 279

Än - nu spe - lar syr - sor till vin - dar - nas sus, än -
nu rul - lar ku - lor - na på skol - går - dens grus. Och
än strå - lar so - len på brun - brän - da ben, än -
nu ru - var fåg - lar - na fast tim - men är sen. Det finns
tid till för - so - ning in - nan da - gen är för - bi, för jag
tror, jag tror på fri - he - ten jag le - ver i. Och
är den in - te verk - lig - het så dröm - mer jag...
Sol, vind och vat - ten är det bäs - ta som jag vet,

men det är på dig jag tän - ker i hem - lig - het.

Sol, vind och vat - ten, hö - ga berg och dju - pa hav,

det är mi - na dröm - mar väv - da av.

av. Sol, vind och vat - ten, hö - ga berg och dju - pa hav,

det är mi - na dröm - mar väv - da av.

Det är mi - na dröm - mar väv - da av.

2.
Jag vill veta vägen till herdarnas hus,
jag behöver att omges av en ledstjärnas ljus.
Det skymmer vid Sion och natten blir sval,
men än doftar blommorna i skuggornas dal.
Det finns tid till försoning innan natten slagit ut,
för jag tror, jag tror att livet får ett lyckligt slut.
Och är det inte verklighet så drömmer jag...
Sol, vind och vatten är det bästa som jag vet,
men det är på dig jag tänker i hemlighet.
Sol, vind och vatten, höga berg och djupa hav,
det är mina drömmar vävda av.

Främling

Text Lasse Holm och Monica Forsberg
Musik Lasse Holm och Monica Forsberg
♩ 279

Främ - ling, vad döl - jer du för mig
i di - na mör - ka ö - gon? En svag ny - ans av ljus nå'n-
stans, men än - då En främ - ling, så
Nat - ten finns
kän - ner jag för dig, jag ber dig låt mig få
till för dig och mig, glöm det som är om -
ve - ta. Vem vill du va - ra, kan du för - kla - ra det för
kring oss. Låt mig få kom - ma, låt mig få va - ra nä - ra
mig?
dig.
Som Mo - na Li - sa har sitt
le - en - de så göm - mer ock - så du en hem - lig - het.

Stjär - nor jag ser dom, vill gär - na ta ner nå'n till dig.

Där bor - tom him - len finns en e - vig - het, om du vill upp - täc - ka den här med mig.

Ta förs - ta ste - gen och vi - sa mig vä - gen i kväll. En

käns - la och jag li - tar på den,

se'n blir vår kär - lek ald - rig främ - man - de i - gen.

Sommaren är kort

TEXT Tomas Ledin
MUSIK Tomas Ledin
♩ 279

In - te ett moln så långt ö - gat kan nå,

in - te en drop - pe regn på fle - ra dar. Med en

glass i min mun och i san - da - ler av plast

går jag i so - len och tän - ker på dej.

Ljus - blå - a da - gar seg - lar för - bi. Som - ma - ren är

kort. Det mes - ta reg - nar bort. Men nu är den här, så ta för

dej, so - len ski - ner i dag. Hös - ten kom - mer snart,

det går med vin - dens fart, så lyss - na på mej: So - len ski-

- ner kan-ske ba-ra i dag. Som-ma-ren är
kort. Det mes-ta reg-nar bort. Men nu är den
här, så ta för dej, so-len ski-ner i dag. Hös-ten kom-mer
snart, det går med vin-dens fart, så lyss-na på mej:
So-len ski - ner kan-ske ba-ra i dag.

2
Vattnet är varmt och luften står still,
jag sitter i skuggan, läser gårdagens blad.
Snart är det dags för ett dopp i det blå,
få bort sanden mellan tårna och svalka min kropp.

Sommaren är kort …

Pom Pom

TEXT Magnus Uggla
MUSIK Magnus Uggla och Anders Henriksson
♩ 279

Rätt of - ta hör jag dum - ma kom - men - ta - rer,

men det all - ra märk - li - gas - te som man sagt

är att jag ba - ra skri - ver marsch - fan - fa - rer

i um - pa bum - pa dis - co - takt. Hur kan det bli för mång - a

så - na klang - er, frå - gar jag mig om i - gen,

när det är mu - si - kens all - ra bäs - ta gen - re?

Här kom - mer där - för än - nu en. Pom på

pom oh oh o o o o o o sho - bi -

doo - a   o   o   o   o   o o   o   na na

na   u o u   o   å.   Pom på pom   oh oh

o   o   o   o   o   o o   sho - bi doo - a

o   o   o   o   o o   o   na na   na   u o u

å.   å   o u o u o   å.

Så kom och lyss - na   till   en   sång,   en låt som

fast - nar   på   en gång,   per - fekt för   vår e - pok,   går på

al - la språk, för en - var,   Mag - nus Ugg - las fan   -   far.   Pom på

2

Men även jag kan faktiskt också gilla
jazziga låtar som ett substitut,
tills att dom börjar infernaliskt drilla
tvåtusen toner per minut,
Och kanske passar denna gudagåva
i en rökig mörk lokal,
men kan du tänka dig en bossa nova
på en ishockeyfinal?
Pom på pom …

Kung av sand

Text Per Gessle
Musik Per Gessle
♩ 280

Hör du sång-en dom spe-lar på ra-dion? Var-je

ord ver-kar hand-la om dej. Hur du knack-a-de på mitt i som-

mar'n, men kom ald-rig mer i-gen. Såg en

mås cir-ku-le-ra vid ham-nen, som om han le-ta-de ef-ter en vän.

Sam-ma mor-gon det reg-na' på stran-den, där jag gick en-sam i-

gen. Här kom-mer kung av sand, här
kom-mer kung-en av ing-en-ting alls. Här
Kom-mer kung av sand, här kom-mer kung-en av ing-en-ting alls.

1. Såg din
2. Hej! Hör en
kung av sand som kal-lar.
He-he-hej!
Hör en kung av sand som kal-lar.

D.S. (instr.) al Chorus and fade

2

Såg din ande, hon vandra' vid vattnet.
Hennes fotsteg försvann i en vind.
När jag vaknade upp under himlen
kände jag värmen av din kind.
Här kommer kung av sand …

© Text och musik: Per Gessle. Förlag: Jimmy Fun Music

Sommartider

Text Per Gessle
Musik Per Gessle
♩ 280

Som - mar - ti - der hej, hej som - mar - ti - der.

Som - mar - ti - der Jag kän - ner det är nå'n - ting på gång.

Som - mar - ti - der. Som - mar - ti - der. Kom och

stan - na u - te nat - ten lång. Som - mar - ti - der.

Snur - ra runt i en stad som glö - der, som

vis - kar: Bli min i - natt! Som - mar - ti - der

hej, hej som - mar - ti - der, ge mej din hung - er, ge mej din hand.

Ge mej allt du vill och allt du kan.

Som - mar - ti - der hej, hej som - mar - ti - der,

läp - par mot läp - par som tar mej i - land,

som ger som - mar - ti - der

till va - rann. Som - mar - ti - der.

Som - mar - ti - der. Som - mar - ti - der. Du

D.S.and fade

tar mej till en an - nan värld. Som - mar - ti - der

2

Sommartider. Sommar, sommar våt och het. Sommartider.
Sommartider. Kom och lek en sommarlek! Sommartider.
Lev ditt liv i den tid som brinner, som lockar: Stanna i natt!
Sommartider hej, hej sommartider,
ge mej din hunger, ge mej din hand.
Ge mej allt du vill och allt du kan.
Sommartider hej, hej sommartider,
läppar mot läppar, två hjärtan i brand,
som ger sommartider till varann.
Sommartider. Sommartider. Sommartider.
Du tar mej till en annan värld. Sommartider.

Gå och fiska

Text Per Gessle
Musik Per Gessle
♩ 280

Ing-en-ting är som det ska, li-ka-dant från dag till dag.

All-ting föl-jer sam-ma möns-ter, ser på stan i-från mitt föns-ter.

Män-ni-skor på rad i kö,

ä-ta, job-ba so-va, dö. Jag går och fis-kar,

och tar en tyst mi-nut, å-ker ut, ut och fis-

kar, en chans att an - das in, an - das ut.

Ing - en - ting är som det ska, li - ka - dant från dag till dag.

Al - la säl - jer sam - ma tjäns - ter, män - ni - skor till hö - ger, väns - ter.

Jag kan ba - ra så ett frö och

ge ett råd: Ta ditt spö. Låt oss gå och fis - ka,

och ta en tyst mi - nut. Låt oss fis - ka, fis - ka fis -

kar, din chans att an - das ut.

Jag går och fis - kar, och tar en tyst mi - nut, å - ker ut, ut och fis - kar, en chans att an - das in, an - das ut.

När man läser filosofer,
letar mellan gamla strofer,
tror man det var annorlunda
sexton, sjutton, artonhundra.
Icke så, mitt hjärta svider,
samma sak i alla tider.
Jag går och fiskar,
och tar en tyst minut,
åker ut, ut och fiskar,
min chans att andas in, andas ut.

Banankontakt

Text Lasse Åberg
Musik Janne Schaffer
♩ 280

De' e' en fågel...   Nej, de' e' ett plan...

Nej, de' e' en...   superbanan...

De' e' ett ljus-sken ö-ver sta-den,

nå't stort och gult som al-la ser.

Ba-nan-kon-takt av tred-je gra-den,

en frakt-ra-ket som kom-mer ner. Ba-

nan-kon-takt e' min takt, ba-nan-kon-takt e' din takt, å

din kon-takt e' min takt å min kon-takt e' din takt. Ba-

nan-kon-takt e' vår takt, å vår kon-takt e' er takt, å

sam-ba-takt i tre-takt, å er kon-takt e' vår takt. Ba-

nan-kon-takt, ba-nan-kon-takt, ba-nan-kon-takt av tre-dje

Å dörren öppnas på raketen,
banankommandot kommer ut.
"Nu sköter vi den här planeten,
så eländet kan få ett slut."
Banankontakt e' min takt …

De' e' ett skimmer över staden,
ett klokt och vackert guldgult ljus.
Banankontakt av tredje graden,
med frid och glädje i vart hus.
Banankontakt e' min takt …

Min Piraya Maja

TEXT Lasse Åberg,
MUSIK Janne Schaffer
♩ 280

Ma - ja, min Ma - ja, min bit - ska lil - la pi - ra - ya.

Ma - ja, min Ma - ja, min bit - ska lil - la pi - ra - ya. Jag

har en li - ten pi - ra - ya i en skål på min se - kre - tär.

Jag kal - lar hen - ne för Ma - ja, o

Ma - ja, min Ma - ja, min bit - ska lil - la pi - ra - ya.

Ma - ja, min Ma - ja, min bit - ska lil - la pi - ra - ya.

Ma - ja, min Ma - ja, min bit - ska lil - la pi - ra - ya.

Ma - ja, min Ma - ja, min bit - ska lil - la pi - ra - ya.

Ma - ja, min Ma - ja, min bit - ska lil - la pi - ra - ya. Från Pe -

ru till Bis - ca - ya - ya - ya, det finns ej en vas - sa - re trut.

Jag äls - kar Ma - ja, min Ma - ja, min

bit - ska lil - la pi - ra - ya. Ma - ja, min Ma - ja, min

bit - ska lil - la pi - ra - ya.

Repeat and fade

Ma - ja, min Ma - ja, min ·bit - ska lil - la pi - ra - ya.

2

Jag badar ofta med Maja,
då gäller det att se opp,
för Maja gillar att laja,
o hugga tag i min snopp.
När det är matdags för Maja
så vill hon inte ha kott.
Hon får ett stycke papaya,
o sen pumsar hon så sött.

Jag älskar Maja, min Maja …

Zwampen

TEXT Lasse Åberg
MUSIK Janne Schaffer
♩ 280

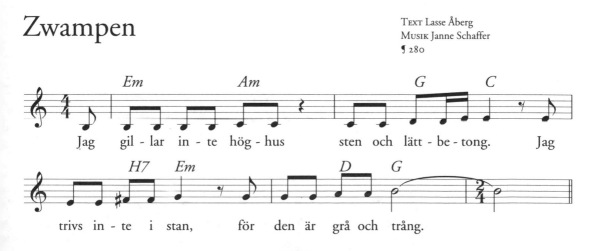

Jag gil - lar in - te hög - hus sten och lätt - be - tong. Jag

trivs in - te i stan, för den är grå och trång.

Jag vill bo i en svamp an-nars får jag kramp. Det finns hopp för min kropp i en mul-lig sopp. Kom i kväll och var snäll till min kan-ta-rell.

Tit-ta in och ta ton i min cham-pin-jon.

2

Jag vill ut i skogen till luft och rymd och ljus
och sitta framför svampen och höra tallens sus!
Jag vill bo i en svamp …

3

Tiderna är hårda, livet är en kamp
det känns mycket bättre om jag har min svamp!
Jag vill bo i en svamp …

Ett rött litet hjärta

TEXT Monica Forsberg
MUSIK Kerstin Andeby och Peter Wanngren
♩ 280

Ett rött li-tet hjär-ta i en ked-ja av guld det ger jag på vå-ren till min vän. Av smult-ron ploc-kar jag kor-gen full, den

får du till som-mar'n i-gen. Och se'n när hös-ten
när-mar sej, då får du tre rö-da äpp-len av mej. När
vin-tern har kom-mit med ky-la till oss, då får du rö-da ro-sor på
kin-der-na för-ståss. Ett rött li-tet hjär-ta, hör det ban-kar och slår. Det
rött li-tet hjär-ta har en e-gen hem-lig-het, och
vi-lar ald-rig nå'n gång. Ett rött li-tet hjär-ta mår
snart be-rät-tar jag den. För mitt lil-la hjär-ta mår
bra när det får kär-lek i en li-ten sång. Ett
bra när det vet att du är min e-gen vän.

Kommentarer

Kommentarerna i det följande bygger först och främst på de källor som förtecknas under rubriken *Litteratur* (s 281-284). En betydande del av uppgifterna i kommentarerna till våra samtida barnvisor baseras på intervjuer med textförfattare och kompositörer.

Sånger för småfolk

10 Det gåtfulla folket
(Olle Adolphson, *Trubbel*, 1964) Beppe Wolgers (1928-1986) gjorde sig omtyckt och älskad av alla Sveriges barn på 60- och 70-talet. I filmen om Pippi Långstrump spelade han Pippis pappa och i Djungelboksfilmen gav han röst åt björnen Baloo. Mest känd bland barnen blev han med sitt TV-program *Beppes godnattstund* (1970). I en jättestor säng och iklädd nattmössa och nattskjorta pratade och småsjöng han med en massa dockor då det var läggningsdags. Långt tidigare hade Beppe Wolgers framträtt som poet, konstnär och scenartist. Redan på 50-talet samarbetade han med Olle Adolphson (f 1934) i s k litterära kabaréer, med stor succé på Hamburger Börs i Stockholm. Bland artisterna där fanns den danska kabaréstjärnan Lulu Ziegler. Av henne fick de båda unga svenska vismakarna beställning på ytterligare nyskrivet material. Resultatet blev bl a Det gåtfulla folket. Beppes text är en kärleksfull beskrivning av barnens förmåga att drömma och fantisera på ett sätt som gör dem till ett särskilt folkslag bland alla människor, det gåtfulla folket. Olle Adolphson skrev melodin och sjöng in den på skivan *Trubbel* 1964. Visan finns också på engelska, insjungen av popsångerskan Cilla Black och kallad The mysterious people.

12 Mors lille Olle
(Alice Tegnér, *"Sjung med oss, mamma!"*, häfte 3, 1895) Alice Tegnér (1864-1943) är den svenska barnvisans mamma. Hon var musiklärare i Stockholm och Djursholm 1892-1906. Hennes produktion bärs av en starkt idealistisk syn på familj och barn med "rosor på kind och solsken i blick". I serien *"Sjung med oss, mamma!"* gavs det ut nio häften mellan 1892 och 1934. Flera av sångerna räknas till den svenska barnvisans klassiker. Historien om Olle fick Alice Tegnér från poeten Wilhelm von Braun (1813-1860). I en dikt, kallad Stark i sin oskuld, berättar von Braun i 12 strofer en historia om en liten pojke och hans äventyr i storskogen i Dalarna. Historien lär bygga på en sann händelse. Alice Tegnér gjorde ett koncentrat av von Brauns långa dikt som blev en visa på fyra enkla strofer. Mors lilla Olle är kanske den mest sjungna svenska barnvisan genom tiderna.

13 Tula hem och tula vall
(Alice Tegnér, *"Sjung med oss, mamma!"*, häfte 1, 1892) Visan handlar om forna tiders bruk på landsbygden, där barnen tidigt sattes i arbete och fick bidra med enklare sysslor som att valla boskapen. Texten har Alice Tegnér förmodligen hämtat från Jenny Nyströms *Barnkammarens bok II* (1890) som tillsammans med *Barnkammarens bok I* (1882) fick stor betydelse för spridningen av folkliga rim och för utvecklingen av den svenska barnvisan. En textvariant som ska sjungas till den s k fiskeskärsmelodin återfinns i Nordlanders *Svenska barnvisor och barnrim* (1886).
Mjölken var båd' gul och blå – med gul mjölk menas oskummad, fet mjök; blå mjölk avser skummjölk, dvs grädden har skummats av

13 Vart ska du gå, min lilla flicka
(Alice Tegnér, *"Sjung med oss, mamma!"*, häfte 2, 1893) Alice Tegnérs visor bygger ofta på äldre folkligt material. I samlingen *Svenska Fornsånger* (del III 1842) av A I Arwidsson finns i avdelningen Barn-Sånger en gammal anonym folkvisa som börjar "Vart skall du gå min lilla fänta?" (Fänta är detsamma som jänta.) Alice Tegnér bearbetade den gamla visan och gjorde om den till en liten dialogvisa, lämpad att sjungas som fråga-svar av en pojke och en flicka.

14 Tummeliten
(Alice Tegnér, *"Sjung med oss, mamma!"*, häfte 4, 1897) Tummeliten är en figur som först blev känd genom den franske författaren Charles Perraults berättelse i *Gåsmors sagor* (1697), en av världens mest lästa och översatta sagosamlingar. Också i bröderna Grimms sagor förekommer Tummeliten. Den kvinnliga motsvarigheten skapade H C Andersen med sin Tommelise. Alice Tegnér skrev visan om Tummeliten tvåhundra år efter publiceringen av

sagan på franska för att den skulle ingå i en dramatisering av Perraults berättelse. De två första stroferna skulle sjungas i pjäsens inledning, den avslutande vid hemkomsten efter äventyren i skogen.

14 Sockerbagaren

(Alice Tegnér, *"Sjung med oss, mamma!"*, häfte 3, 1895) En sockerbagare var i gamla tider benämning på vad man idag kallar en konditor, dvs en bagare som först och främst bakar kaffebröd, tårtor och andra godsaker. Visan om sockerbagaren ger exempel på den lätt moraliserande ton som ofta finns i Alice Tegnérs visor: den som är snäll får en kaka, den som är stygg får gå.

15 Blinka lilla stjärna

Melodin har använts av W A Mozart i ett variationsstycke för piano (1778). Dessförinnan har den förekommit i bl a Frankrike. Texten är av den engelska skaldinnan Jane Taylor (1783-1824). Dikten hade titeln The Star och publicerades 1806 i *Rhymes for the Nursery*. Betty Ehrenborg-Posse (1818-1880) översatte dikten och satte samman den med musiken. Tidigare hade melodin blivit känd till texten När vi sitta i vår bänk, som ingick i Anders Oldbergs *Hemskolan* (1842).

15 Lilla Ludde

Ursprunget till Här kommer lilla Ludde är okänt.

16 Vem kan segla

Om ursprunget till denna gamla folkvisa finns det flera mer eller mindre osäkra antaganden. Den första raden – "Vem kan segla förutan vind" – har återfunnits som upptakt till femte strofen i en visa från 1700-talet: Goder natt, goder natt, allra kärestan min. Det har hävdats att Vem kan segla ursprungligen kommer från Åland. Säkert är att den länge haft stor spridning i svenskbygderna i Finland. Sången är uppbyggd som en kort dialog, där den första strofens tre frågor besvaras i tur och ordning i den andra strofen. Visan anknyter till sjömansvisornas tematik, men uttrycker ju i själva verket varje människas upplevelse av hur omöjligt och sorgligt det känns att skiljas från den man har kär.

17 Lunka på

Lunka på tillhör egentligen kategorin sånglekar. I dag används den oftast som enbart sång. Den är indelad i två delar med olika tempo, den första långsam, den senare rask. Textens innehåll motsvarar skiftningen i tempo. Som de flesta av våra traditionella sånglekar är ursprunget inte känt.

långan – lång

17 Tycker du om mej

Denna folkliga visa är en dialogvisa som sjunges av fästman och fästmö.

Gille – fest, i detta fall bröllopsfest

18 Alfabetsvisan

Alfabetsvisor finns i många varianter. Man kan förmoda att de uppkommit när föräldrar eller lärare velat få barnen att på ett nöjsamt sätt lära in alfabetet. Form och innehåll knyter an till 1800-talets didaktiska barnvisor som syftade till att lära barnen t ex de hårda och mjuka vokalerna eller Sveriges landskap. Även inom engelskspråkig sångtradition förekommer ABC-visor. Melodin är densamma som för Blinka lilla stjärna. En annan känd version sjungs till Broder Jakob.

19 Herr Gurka

(Lennart Hellsing, *Nyfiken i en strut*, 1947) Lennart Hellsing (f 1919) är en av 1900-talets främsta företrädare för svensk barnkultur. Hellsing verkade som engagerad barnbokskritiker i *Aftonbladet* under många år. Han var också en av initiativtagarna till Svenska barnboksinstitutet. Själv har han skrivit bortåt 50 barnböcker. Mest känd har han blivit genom de många tonsättningarna av hans rim, ramsor och dikter för barn. Hellsings värld är fylld av sånt som är gott att äta, godis, maträtter och inte minst grönsaker av alla slag. Som så många andra Hellsingverser är Herr Gurka tonsatt av Knut Brodin (1898-1986), pianist och musikkritiker.

mazurka – en dans i tretakt

19 Krakel Spektakel

(Lennart Hellsing, *Krakel Spektakel*, 1952) Krakel Spektakel har blivit något av Hellsings signaturfigur, alltsedan han framträdde i boken med samma titel. Själva namnet, som ju låter som ett nonsensrim, är i själva verket fullt av betydelse. Krakel, med betoningen på sista stavelsen, betyder 'larm', 'bråk' och 'oreda'. Spektakel betecknar ju både ett skådespel och en händelse som väcker uppseende eller uppståndelse. Namnet Krakel Spektakel kan alltså förstås som en programförklaring för en barnboksförfattare som gärna ställer till lite oreda och som väcker uppseende med sina ord. Men liksom Kusin Vitamin är han likväl ett nyttigt och nödvändigt inslag i ordkonsten. Musiken är skriven av Knut Brodin.

20 Dinkeli dunkeli doja

(Lennart Hellsing, *Summa summarum*, 1950) Dinkeli dunkeli doja ger prov på Lennart Hellsings förmåga att låta den uråldriga konsten att skapa rimramsor för barn förenas med en typ av nonsensvers som har drag av modernistisk poesi i surrealistisk stil. Texten vädjar både till vår lust för ordmusik och ordlek, samtidigt som fantasin sätts i rörelse i tvära kast. Knut Brodin har gjort melodin.

20 Vattenvisan
(Yngve Härén, Lennart Hellsing, Knut Brodin, *Våra visor 3*, 1960) Ljudhärmning och ljudupprepning tillhör Lennart Hellsings specialiteter. I Vattenvisan kombineras det inledande drippdroppandet med refrängens rinnande upprepningar av "vatten, vatten, bara vanligt vatten". Visan är uppbyggd enligt en traditionell fråga-svarmodell, som gör det möjligt att låta barnen unisont svara med refrängen, sedan strofens frågor ställts av en soloröst. Visan skrevs för skolradioprogrammet *Bara vanligt vatten* (1957). Urspungligen hade den sju strofer, men när den publicerades i *Våra visor* var två av dem borttagna. Musiken har gjorts av Lille Bror Söderlundh (1912-1957), en av den svenska viskulturens främsta tonsättare under 1900-talet.

21 Hej sa Petronella
(Yngve Härén, Lennart Hellsing, Knut Brodin, *Våra visor 1*, 1957) Att försöka vara glad i alla lägen, i sol som regn, är ett tema i Lennart Hellsings barnavärld. Det inledande prosastycket visar Hellsings lust att låta sina rim ingå i en liten berättelse, här antydd som historien om Petter och Petronella i Plaskeby. Att göra en båt av ett bruksföremål är ett vanligt motiv i sagans värld, antingen det nu gäller Augusts och Lottas potta eller, som här, farfars galosch. En folkmelodi ligger till grund för tonsättningen av Knut Brodin.

22 Önskevisa
(Yngve Härén, Lennart Hellsing, Knut Brodin, *Våra visor 2*, 1958) Önskevisor är en hel genre i den folkliga vistraditionen. Hellsing tar fasta på ett gammalt önskemotiv: att se en stjärna falla ger möjlighet att önska vad man vill. Men även om motivet är gammalt, hör pojken i visan också hemma i den samtida vardagen. Han önskar sig silver och gull, men också mindre med läxor. Önskevisan är gjord till en folkmelodi från Österrike.

22 Markisen av Carabas
I sagospelet *Mästerkatten i stövlar* (bearbetad av Hellsing och Erik Johnsson, utgiven på skiva 1955) figurerar den excentriske markisen av Carabas, ett ortnamn som härstammar från Turkiet. Liksom Hellsing själv har markisen enligt visan en viss förkärlek för animaliska och kulinariska egenheter. Musiken är hämtad från Johan David Zander (1753-1796), violinist och tonsättare vid Stenborgs teatrar i Stockholm på Gustaf III:s tid. 1997 gjorde Hellsing tillsammans med kompositören Staffan Björklund Mästerkatten till en barnopera.

23 Annabell Olsson
(Yngve Härén, Lennart Hellsing, Knut Brodin, *Våra visor 3*, 1960) Lennart Hellsing har berättat att visan ursprungligen är skriven till en av hans egna döttrar, Susanna. Det är hon som i visan presenteras som Annabell Olsson, ett namn som på Hellsings speciella vis låter den romantiska klangen i förnamnet klinga samman med den alldagliga i efternamnet. Bara i detta möte mellan vardagens värld och sagans kan det existera sådana bedårande prinsessor som Annabell Olsson. Hellsing har i olika sammanhang förmedlat engelsk barnkultur till svenska. I detta fall har han enligt egen uppgift hämtat melodin från en engelsk barnvisa.

24 Tom-balalajka
(Yngve Härén, Thord Gummesson, Lennart Hellsing, *Numusik 2*, 1975) Visans två strofer är gjorda som en dialog mellan en bror, som sjunger frågorna i den första strofen, och en syster, som sjunger svaren i den andra strofen. Temat är det eviga: sorgen sammanväxt med kärleken. Melodin är av judiskt ursprung och Lennart Hellsing har hämtat den från balalajkans hemland Ryssland.
balalajka – ryskt stränginstrument

25 Vaggvisa för en liten grön banan
(Lennart Hellsing, *Bananbok*, 1975) 1975 gav Lennart Hellsing ut både *Bananbok* och *Bananskiva*. Med Tommy Östmars färgsprakande illustrationer blev boken en klassiker liksom skivan, där Georg Riedel (f 1934) stod för melodierna och ackompanjemanget. Två av våra främsta vissångare, Fred Åkerström och Gösta Linderholm, framförde visorna. Hellsings bananbok kan ses som upptakten till en "banantrend" i barnbokssammanhang. Bananerna lanserades av Hellsing som levande väsen, långt mycket mänskligare än människorna, och författaren menade "att vi missförstått bananernas själsliv". Texterna är smått galna, men mycket filosofiska, med en sensmoral som säger oss att människor egentligen borde vara som bananer: "naturen har gett dem sin renhet". Man har beskrivit Hellsings livssyn som en "bananexistentialism". Inledningsraden till Vaggvisan för en liten grön banan – "Sov på din gren" – varierar en av den svenska visskattens vackraste kärleksvisor, Evert Taubes Nocturne, den som börjar: "Sov på min arm..."

26 Här kommer Pippi Långstrump
(Astrid Lindgren, *En bunt visor för Pippi, Emil och andra*, 1978) Astrid Lindgren (f 1907) fick sitt genombrott som författare 1945 med *Pippi Långstrump*. Pippis självständighet och oförvägenhet svarade mot en ny tids friare syn på barn och uppfostran. Bland barnen blev hon omåttligt populär. Succén följdes av *Pippi Långstrump går ombord*

(1946) och *Pippi Långstrump i Söderhavet* (1948). Pippi blev så omtyckt att en scenversion gjordes för Oscarsteatern i Stockholm 1948 och året därpå hade den första Pippifilmen premiär. Det skulle dröja 20 år innan man på nytt gjorde ett försök med en filmatisering av *Pippi Långstrump*. Denna gång skrev Astrid Lindgren själv filmmanus och Olle Hellbom regisserade, ett samarbete som resulterade i en TV-serie i 13 delar som sändes 1969. De flesta avsnitten grundade sig på boken från 1945, andra var nyskrivna. Serien har sedan sänts i repris flera gånger och en stor del av framgången berodde på Inger Nilssons gestaltning av Pippi. Jazzpianisten och kompositören Jan Johansson (1931-1968) gjorde den livfulla titelmelodin.

27 Mors lilla lathund
(Astrid Lindgren, *En bunt visor för Pippi, Emil och andra*, 1978) Framgången med TV-serien om Pippi Långstrump (1969) följdes av biograffilmen *Pippi Långstrump på de sju haven* (1970) som i sin tur följdes av *På rymmen med Pippi Långstrump* samma år, vars berättelse inte har någon av Pippiböckerna som förlaga. Astrid Lindgren skrev ett helt nytt manus direkt för filmen. Sånginslagen fick betydelse för filmernas framgång, vilka följdes av kassettband med filminnehållet bearbetat för ljudmediet och med sångerna som bärande inslag. De flesta sångerna har kommit att bli barnviseklassiker. Mors lilla lathund ingår i *På rymmen med Pippi Långstrump*. Den är i likhet med de flesta av filmernas sångsuccéer skriven av jazzbasisten och kompositören Georg Riedel (f 1934).
gusslånga dan – Guds långa dag

28 Du käre lille snickerbo'
(Astrid Lindgren, *En bunt visor för Pippi, Emil och andra*, 1978) Astrid Lindgren gav ut *Emil i Lönneberga* 1963. Den följdes av ytterligare tre Emilböcker mellan 1970 och 1976. Under 70-talet gjordes sammanlagt tre böcker om Emil, Ida och de andra i Katthult. I likhet med Saltkråkeoch Pippifilmerna var det Astrid Lindgren själv som skrev manus och Olle Hellbom som regisserade. Emilfilmerna gavs även i serieform i TV. Du käre lille snickerbo ingår i *Nya hyss av Emil i Lönneberga* (1972). Här besjunger Emil (spelad av Jan Ohlsson) sitt gömställe, dit han tar sin tillflykt när han gjort något av sina många hyss. Hans ilskne pappa (Allan Edwall) är honom nämligen i hälarna. Melodin är skriven av Georg Riedel.

29 Fattig bonddräng
(*Hujedamej och andra visor av Astrid Lindgren*, 1991) Sången ingår i den första av Olle Hellboms filmer om livet i småländska Katthult, *Emil i Lönneberga* (1971). Georg Riedel har tonsatt Astrid Lindgrens text, som inte finns med i någon av böckerna utan skrevs direkt för fil-

men. Man anar en djup förtrogenhet med det hårda dränglivet i äldre tid och stor sympati för drängen (spelad av Björn Gustafsson). Bland dem som har haft visan på sin repertoar märks Tommy Körberg.
knogar – arbetar
harvar – bearbetar jorden med en harv, i regel på våren
plöjer – bearbetning av jorden, i regel på hösten
mockar – rengör i ladugården
går bak mina oxar – förr i tiden använde man oxar i jordbruksarbetet, tex vid plöjning
blitt livad – blivit glad
tampas – slåss
körkan – kyrkan
hässjar mitt hö – lägger upp höet för torkning på ställningar, hässjor
trälar – arbetar hårt
skrud – dräkt, särk

30 Piluttavisan
(*Hujedamej och andra visor av Astrid Lindgren*, 1991) Böckerna om Madicken, Lisabet, Alva och de andra på Junibacken gav Astrid Lindgren ut 1960 och 1976. Långfilmen *Du är inte klok Madicken* hade premiär 1979, bearbetades för TV och började sändas i sex avsnitt redan samma år. Olle Hellbom, som stått för regin i de flesta Lindgren-filmerna, var denna gång producent medan Göran Graffman regisserade. Uppföljaren *Madicken på Junibacken* kom 1980. Bengt Hallberg (f 1932) har berättat att Pilutta-visan från början var en rent instrumental signatur till filmen och TV-serien. Under arbetet med musiken skapade han en "dumtext" till Astrid Lindgren på signaturtemat, där namnet Madicken visade sig vara lätt att passa in på flera ställen. Ordet Pilutta hade han aldrig hört talas om då. Bengt Hallberg är musikaliskt mångsidig. Han studerade vid Musikhögskolan på 50-talet och spelade jazzmusik parallellt. Som jazzpianist har han spelat med gästande utländska musiker och snart nog alla svenska jazzartister. Hans kompositioner sträcker sig över alla musikaliska områden.
pilutta dej – 'ret-ord' som Lisabet och Madicken använder för att retas

32 Luffarvisan
(*Hujedamej och andra visor av Astrid Lindgren*, 1991) Filmen Rasmus på luffen (1981) utgjorde kulmen på Olle Hellboms långa och succérika serie av filmatiseringar av Astrid Lindgrens böcker. Filmen är baserad på en tidigare inspelning från 1955 som Astrid Lindgren skrivit manus till och som i sin tur utgjort förlagan till boken med samma namn (1956). För den nya filmen hade Lindgren och Hellbom bearbetat ursprungsmaterialet och bl a åstadkommit en mer trovärdig psykologi knuten till luffaren (Allan Ed-

wall). Rasmus spelades av den nioårige Erik Lindgren som valts ut bland 700 Rasmus-aspiranter. Luffarvisans melodi är skriven av Gösta Linderholm (f 1941) som för övrigt medverkade i filmen som luffaren Sju Attan.

fyr – kille, man
helsefyr – förmildrande omskrivning av helvete

33 Vargsången

(*Hujedamej och andra visor av Astrid Lindgren*, 1991) I *Ronja rövardotter* (1981) gestaltas en generationskonflikt mellan far och dotter. Boken utspelas i medeltidsmiljö bland Mattisrövarna men konflikten är universell och tidlös. När boken skulle omvandlas till film dog Lindgren-regissören Olle Hellbom mitt under förberedelserna. Tage Danielsson åtog sig i stället regiuppdraget. Filmen erövrade en silverbjörn vid filmfestivalen i Berlin. För originalmusiken, som givits en lätt arkaiserande, medeltida prägel, svarade Björn Isfält (1942-1997). Han har gjort musik till en mängd filmer och TV-serier, bl a *Bröderna Lejonhjärta*, *Mitt liv som hund* och *Gilbert Grape*. I *Ronja rövardotter* har han dessutom en liten roll som flöjtspelande narr. Musiken, som gavs ut separat, sålde i 50 000 exemplar och belönades med en guldskiva. I filmen sjunger mamma Lovis (Lena Nyman) Vargsången för Ronja, när hon ska sova.

stova – stuva, lya

34 Falukorvsvisan

(*Hujedamej och andra visor av Astrid Lindgren*, 1991) Det idylliska livet i Bullerbyn har Astrid Lindgren skildrat i tre böcker: *Alla vi barn i Bullerbyn* (1946), *Mera om oss barn i Bullerbyn* (1949) och *Bara roligt i Bullerbyn* (1952). Redan 1960 gjordes en inspelning ämnad för det nya TV-mediet, men Sveriges Radio avböjde produktionsbolagets anbud. I stället bearbetades de 13 avsnitten till två biograffilmer. Först därefter visade TV intresse och Bullerbyserien kunde ges 1962. En ny inspelning kom till stånd 1986, denna gång med manus av Astrid Lindgren och med Lasse Hallström som regissör. Bullerbyböckernas och Bullerbyfilmernas popularitet bygger bl a på att här framställs en gripbar värld i en svunnen, men inte avlägsen tid: bondbyns liv och arbete med närheten till djur och natur, årstidernas växlingar och olika högtider, barnens lek och oskyldiga upptåg. Allt är vänligt och välordnat. Med denna film återkom Georg Riedel som Lindgren-kompositör. I sången får den svenska falukorven sin hyllning. Vid sidan av Hasse Alfredssons Jag vill ha blommig falukorv till lunch är detta förmodligen den enda visa som handlar om svenskarnas vanligaste vardagsmat. Lisa och Anna sjunger sången när de är på väg till Storbyn för att handla, bl a falukorv.

35 Alla ska sova för nu är det natt

(*Hujedamej och andra visor av Astrid Lindgren*, 1991) Sången förekommer i Lasse Hallströms film *Alla vi barn i Bullerbyn* (1986). I filmen är det flickorna som sjunger sången. Höet har bärgats och de har bestämt sig för att övernatta på höskullen. Godnattvisan avbryts av pojkarna som plötsligt dyker upp och skrämmer flickorna. Georg Riedels melodi följer stämningen i Astrid Lindgrens vaggsång, som på klassiskt manér bjuder alla naturens väsen god natt.

vareviga – varenda

36 Rövarnas visa

(Thorbjørn Egner, *Folk och rövare i Kamomilla stad*, 1955) Den norske författaren och pedagogen Thorbjørn Egner (1912-1990) illustrerade sina egna böcker för barn och skrev ofta själv de visor som ingår. Från 1946 gladde han många norska barn med sina barnprogram i radio. Programmen resulterade efter hand i ett antal barnböcker som översattes till många språk, t ex *Klatremus og de andre dyrene i Hakkebakkeskogen* (1953). *Folk og røvere i Kardemomme by* utgavs 1955, omvandlades för scenen och blev snart en barnteatersuccé i många länder. Urpremiären skedde vid Nationalteatret i Oslo 1956. Till Sverige och Operan i Stockholm kom *Folk och rövare i Kamomilla stad* 1962 med scenografi av Thorbjørn Egner själv. Den svenska översättningen gjordes av Ulf Peder Olrog (1919-1972) och Håkan Norlén (f 1917). I Rövarnas visa uppträder de tre rövarna Kasper och Jesper och Jonatan som nattetid smyger till den välordnade staden Kamomilla för att stjäla mat och godsaker åt sig själva och det lejon som de har i sin rövarkula.

37 Gubben i lådan

(Gullan Bornemark, *Gubben i lådan. Visor och lekar*, 1962) Efter avlagd musiklärarexamen 1950 och anställning vid Malmö kommunala flickskola startade Gullan Bornemark (f 1927) Blåklockans musiklek 1952. Här tillkom och prövades en lång rad sånger som med tiden blev svenska barnviseklassiker. Gubben i lådan bygger på att små barn tycker om att leka titt-ut-lekar. Gullan Bornemark har berättat att inspirationen till visan kom från dottern Eva, som sex månader gammal satt i sin barnstol och "gömde sig" bakom ett tunt snöre.

38 Sudda sudda

(Gullan Bornemark, *Hallå, hallå*, 1964) Tillsammans med dottern Eva framträdde Gullan Bornemark 1961 med egna sånger i ett radioprogram. Så småningom följde en lång serie småbarnskvartar i radio och program i TV med Gullan Bornemark och barnen Eva, Sven, Jörgen och Dan. Sudda, sudda ingår i den andra sångsamlingen som lanserades parallellt med en skivinspelning. Sången är en tango med karakteristisk skiftning mellan moll och dur. Den kom till i en tid som Gullan Bornemark benämner sin "tangoperiod".

39 Lillebror
(Gullan Bornemark, *Hallå, hallå*, 1964) Bornemarks sånger har kommit till i nära kontakt med barn. Inspiration har hon ofta hämtat från den egna familjen. Det gäller visan om Lillebror. Den handlar om dottern Evas lillebror Sven som tyckte att han kunde allting. I jämförelse med ursprungsutgåvan har Gullan Bornemark senare ändrat texten något.

40 Gunga åt öster
(Borghild Arnér, *Lill-Karins visor*, 1946) Text och melodi till Gunga åt öster har skrivits av Borghild Arnér (f 1911). Sången har genom åren blivit mycket sjungen i förskolan. Med sin växlande taktart, sin kombination av sång och rörelse och sin pedagogiska enkelhet har sången blivit mycket omtyckt. Borghild Arnér har varit verksam som musikpedagog vid Stockholms förskoleseminarium.

41 Jag vill ha blommig falukorv till lunch
(Hans Alfredson, *Blommig falukorv och andra bitar för barn*, 1965) Sången om den blommiga falukorven har blivit en klassiker. Visan ansluter till den typ av småbusiga matvisor för barn som Lennart Hellsing introducerat. Samtidigt är den alfredsonska varianten en slags protestvisa, där alla – både föräldrar och barn – kan känna igen ett barns mycket selektiva matvanor, med speciell lust för sånt som inte finns till hands, t ex blommig falukorv. Alfredson har själv tonsatt.

42 Galen i glass
(Olle Widestrand, *Låteri låtera*, 1980) Olle Widestrand (f 1932) är kyrkomusiker, kompositör och musikpedagog, under många år verksam som metodiklektor vid högskolan i Jönköping. Under 70- och 80-talet utgav han ett tiotal häften med nya sånger för barn i förskolan och på lågstadiet. Widestrand är en av våra mest produktiva förnyare av barnvisan.

43 Det brinner, det brinner
(Olle Widestrand, *Smått och gott*, 1977) I Olle Widestrands visor är texterna gärna förankrade i vardagsvärlden, men ofta i en situation där något överraskande och spännande händer. Visan om eldsvådan är en av många Widestrands händelsevisor som fått stor spridning i svenska förskolor.

44 Jag vill ha munkar
Visan blev populär sedan den publicerats i samlingen *Minipop* (1988) i ett arrangemang av Ola Eriksson (f 1946). För övrigt är ursprunget okänt.

45 Rimtramsa
(*Barnvisor och sånglekar*, 1984) Rimtramsa finns i flera olika versioner. Den version som publiceras här kommer från Clas Rosvalls (f 1948) egen bok *Rimsallabim!* (1999). Upphovsmannen har berättat att han har sjungit och läst den så ofta – i förskolor, skolor, vid studiedagar för lärare – att det har känts nödvändigt att variera den. Sångens framförande bygger på barnens ordglädje och fantasi när de ska fylla i de ord som utelämnats. Visan har en tydlig uppbyggnad. I första versen uppträder husdjuren, i andra vattendjuren osv. Sången inbjuder till att man hittar på rörelser som passar till de olika djuren. Clas Rosvall kallar sig författare, stå-upp-poet och pedagog.

Året runt

48 Årstiderna
(Alice Tegnér, *"Sjung med oss, mamma!"*, häfte 1897) Sedan 1800-talets senare hälft har årstidsvisorna haft sin givna plats i barnvisböckerna. Ofta har de givits en egen avdelning, något som lever kvar i moderna utgåvor. Sångerna har det gemensamt att de beskriver de olika årstidernas glädjeämnen. Här är Alice Tegnérs (1864-1943) sång inget undantag. När man 1943 gav ut *Nu ska vi sjunga* fick Tegnérs Årstiderna utgöra inledningen inte bara till årstidsavdelningen utan också till hela samlingen.

49 Månaderna
(*Folkskolans läsebok*, 1868) Denna sång är också känd som Månadsvisa eller Visan om året. Texten ingår ursprungligen i en dikt med titeln Visan om solen, månaderna och planeterna av Betty Ehrenborg-Posse (1818-1880). Hennes dikt bygger i sin tur på ett gammalt rim. Januari börjar året, den tredje strofen i Ehrenborg-Posses dikt har ensam överlevt. Senare har den kopplats samman med sista satsen i Ludwig van Beethovens (1770-1827) nionde symfoni, där texten utgörs av Schillers dikt An die Freude. Även andra tonsättningar är kända, bl a av Alice Tegnér och Nils Otto Bengtsson.

49 Vintern rasat ut (Längtan till landet)
(Herman Sätherberg, *Jägarens hvila. Poetiska bilder från skogen, fältet och sjön*, 1838) Sätherberg (1812-1897) var på sin tid en känd läkare och ortoped som så småningom blev ett namn också i litterära sammanhang. Han skrev dikter och skådespel, bl a ett sånglustspel om Bellman.

Men bara två av hans många texter har stått sig genom åren, dels Studentsången, skriven på beställning till en marsch av Prins Gustaf, dels Längtan till landet, som snart kom att kallas Vintern ra... Dikten består ursprungligen av sex strofer, men i allmänhet sjungs bara de två första som tagits med här. Tonsättaren Otto Lindblad (1809-1864) var legendarisk ledare för Lunds studentsångförening och blev särskilt uppskattad för sina många kompositioner för manskvartett.

ängarne, källorne, fåglarne – gamla pluralformer
Hälsen – en gammal imperativform

50 Ägg

(Gullan Bornemark, *Klang i bygget*, 1997) I motsats till årets övriga högtider förekommer det inte några påskvisor för barn. Denna sång om ägg har därför allt oftare börjat sjungas på dagis och i skolan i påsktider.

52 Vår på Saltkråkan

(*Hujedamej och andra visor av Astrid Lindgren*, 1991) TV-serien *Vi på Saltkråkan* spelades in under vintern, sommaren och hösten 1963 på ön Norröra i Stockholms skärgård. Serien som sändes i 13 avsnitt 1964 väckte publikens entusiasm. Här framställdes det genuina sommarliv som många svenska barn och vuxna drömde om. Framgången berodde i hög grad på de unga skådespelarnas naturliga och okonstlade agerande. Med denna serie etablerade sig Olle Hellbom på allvar som barnfilmsregissör. I efterhand gav Astrid Lindgren (f 1907) ut *Vi på Saltkråkan* i bokform (1964). Fyra långfilmer med Tjorven, Stina, Pelle, Melker och andra följde på succén med TV-serien. Melodin till Vår på Saltkråkan är av Ulf Björlin (1933-1993), dirigent och tonsättare som bland annat gjort sig känd för sitt samarbete med Sven-Bertil Taube.

53 Sommarlov

Text och musik till Sommarlov är av Thore Skogman (f 1931), folkkär sångare, kompositör och textförfattare med många skivframgångar bakom sig. Genombrottet kom 1955 när han framträdde i Sigge Fürsts radioprogram *Frukostklubben* som sändes på lördagmorgnarna. Under 50-, 60- och 70-talen avlöste den ena succén den andra. I mogen ålder gjorde Skogman debut i operettfacket. Sommarlov är en sång som ger uttryck för alla barns längtan till sol, bad och frihet från skola och tvång.

55 Sommarlov

(*Låtar som tänder*, 1987) Sommarlov av Eva Andersson (f 1965) och Maria Blohm (1964) kom till 1987 när de utbildade sig till förskollärare vid Lärarhögskolan i Mölndal. Sången ingick i en uppgift som de redovisade under utbildningen. Musiklektorn vid lärarutbildningen, Kata-

rina Gren, hörde sången och gav ut den i sångsamlingen *Låtar som tänder* . Sedan dess har sången snabbt spritt sig och betraktas i många skolor som ett självklart inslag när man firar sommarlovets början.

56 Lilla Idas sommarvisa (Du ska inte tro det blir sommar)

(Astrid Lindgren, *En bunt visor för Pippi, Emil och andra*, 1978) Visan skrev Astrid Lindgren (f 1907) för filmen *Emil och griseknoen* (1973), där den sjöngs av Lena Wisborg i rollen som Emils lillasyster Ida. Texten är både charmfullt enkel och filosofiskt gåtfull. Vem är egentligen visans "jag", den som "sätter fart på sommaren"? Är det lilla Ida med sin fantasi, eller är det författarinnan som skapar världen åt barnen med sina ord, eller är det en annan, högre makt, som ger barnen sommaren? Musiken har gjorts av Georg Riedel (f 1934), känd både som jazzbasist och kompositör. Riedel har blivit särskilt uppskattad för sina många konstfullt enkla melodier för barn. Idas sommarvisa ingår numera i skolavslutningarnas standardrepertoar.

57 Sommarsången

(Astrid Lindgren, *En bunt visor för Pippi, Emil och andra*, 1978) Sången ingår i filmen *På rymmen med Pippi Långstrump* (1971), där den sjungs av Inger Nilsson i rollen som Pippi. Liksom Lilla Idas sommarvisa har Sommarsången blivit en klassiker som sommarlovssång. Med sina många sinnliga iakttagelser, förenade med 13 stycken "och", härmar sången barnets sätt att bit för bit ta till sig världen och berätta om sig själv. Georg Riedel har gjort musiken.

58 Här är den sköna sommar

(Evert Taube, *Ballader i det blå*, 1948) Evert Taube (1890-1976) skrev visan på Ängön i den bohusländska skärgården i en tid då Europa låg i spillror efter andra världskriget: "det är krig och politik som har fördärvat vår jord". Lilla Karin som i slutstrofen jublar över sommarens ankomst är identisk med "Huldas Karin" i visan med samma namn. Verklighetens Karin hette Johansson i efternamn och var dotter i huset där Taube var inackorderad. Visan trycktes första gången i *Julstämning* 1947.

burdus – rakt på sak, tvärt

59 Brevet från Lillan

(Evert Taube, *Visor*, 1936) Evert Taube har berättat att visan bygger på ett brev som han fick från sin dotter Ellinor därhemma i Sverige, när han själv 1935 vistades i San Remo i Italien. Mamma Astri var enligt uppgift den som hållit i pennan.

61 Sjösala vals

(Evert Taube, *Sjösalaboken*, 1942) Sjösala är namnet på familjen Taubes sommarställe vid Nämndöfjärden nära Stafsnäs i Stockholms skärgård. Från 1937 blev Sjösala, i visa och verklighet, Taubes sommaridyll. Hans skildringar av familjelivet med maka och små barn i grönskande skärgårdsnatur har blivit något av den idealtypiska bilden av svenskt sommarlov. Huvudperson och författarens förklädnad är Rönnerdahl, en svärmisk lantman med sinne för natur och poesi, kvinnor och barn. Rönnerdahl är enligt Taube själv närbesläktad med Erik Axel Karlfeldts Fridolin-figur, "en nobiliserad Fritiof Andersson", som också bär på traditioner från Bellman och Fröding. Rönnerdahl, som i visorna inte har något förnamn, har möjligen fått sitt välklingande efternamn efter en av Taubes vänner från färden med Mirrabooka till Australien 1928. Han hette Oscar Rondahl och uttalade sitt namn på engelska, något i stil med "Rönndahl". Visan publicerades när världskriget härjade som värst ute i Europa. Enligt författaren ville han med denna sång "besjunga skönheten och glädjen som kriget hotar att förgöra".

kadans – avslutning på ett musik- eller sångstycke

63 Överbyvals

(Carl Anton, *Blå visor*, 1964) Carl Anton Axelson (f 1933) framträdde 1962 i Hylands hörna, på den tiden TV:s mest populära familjeprogram. Han var då en okänd tidningstecknare och fritidstrubadur, som var på väg att bli konstnär, visförfattare och artist. Visan han sjöng var Överbyvals och succén var given. Snart blev han allmänt känd som Carl Anton. Visans Överby och Överbyberg, Vindö och Vindö strömmar, ligger i Stockholms skärgård, det sommarlandskap som Carl Anton så förälskat besjunger i många av sina visor. Under 1980- och 90-talet har Carl Anton mött TV-publiken år efter år som programledare i sommarunderhållningen från Vitabergsparken på Söder i Stockholm.

65 Barfotavisan

(Mats Paulson, *Barfota*, 1974) Mats Paulson (f 1938) är en visdiktare och sångare som ofta knutit an till svensk vistradition, både som Taube-tolkare och med sina tonsättningar av Anna Maria Roos *Visor från Sörgården* (1967). Han har berättat att upprinnelsen till sin barfotavisa var en välkänd rad ur Alice Tegnér-visan Blåsippor: "nu får vi gå utan strumpor och skor." Vem barfotavisans "du" är kan man inte veta, men kanske är hon den Katarina som Mats Paulson gjort till sina visors sångmö.

66 Jag tror på sommaren

Stig Olin (f 1920) skrev text och melodi till höstens sista sändning av radioprogrammet *Frukostklubben* den 21/12

1966 – detta på uppdrag av producenten Bertil Perrolf. Dagens namn var Tomas. Sommaren tedde sig då dagarna före jul som mest avlägsen och det fanns anledning att tvivla på dess ankomst – därav "Tomas tvivlaren". I familjeprogrammet sjöng Stig Olin denna sommarvals tillsammans med hustrun Britta Holmberg och barnen Mats och Lena (den Lena Olin som sedermera blev skådespelare med internationell filmkarriär). Sonen Mats sjöng 1967 sången i TV-programmet *Hylands hörna* och placerade den därefter på Svensktoppen. Alltsedan dess hör Jag tror på sommaren till standardrepertoaren bland svenska sommarsånger.

Tomas tvivlaren – Tomas, den av lärjungarna som tvivlade på uppgifterna om Jesu uppståndelse (Joh. 20:24-29)

68 Vaggvisa (Ute blåser sommarvind)

(*Poetisk kalender*, 1813) Samuel Hedborns (1783-1849) Vaggvisa trycktes första gången i Atterboms *Poetisk kalender*. Det var tänkt att den skulle sjungas till den s k fiskeskärsmelodin. Ursprungligen var vaggvisan ämnad för vuxna läsare, men i och med att Wendela Hebbe tog med den i sin antologi *Svenska skaldestycken för ungdom* (1845) har den efter hand blivit en klassiker i barnviserepertoaren. Hedborn knyter an till en folklig vaggvisetradition men i enlighet med romantikens poetiska ideal har vaggvisemotivet omvandlats till genomarbetad konstdikt. Den folkliga visans naturmytiska väsen och formelartade uttryck förenas här med inslag av exotism och prakt. Hedborns dikt har blivit tonsatt flera gånger, bl a av Franz Berwald, Jacob Nywall och Lille Bror Söderlundh. Den melodi som tagits med här är av Alice Tegnér (1864-1943). Det är den i dag mest sjungna tonsättningen. Den publicerades första gången i fjärde samlingen av *"Sjung med oss, mamma!"* (1897).

såg och hammar – sågverk och hammarsmedjor drevs med vattenkraft

näv – näbb

Lindorm – mytisk orm

Liten kind – syftar på barnet

guldås – takås av guld

gjordar om sitt liv – spänner på sig bälte

gångarn grå – hästen

gullspann – band eller båge av guld

änne – panna

69 Den blomstertid nu kommer

(psalm 199 i *Den svenska psalmboken*) Av tradition sjungs denna psalm i alla svenska skolor vid avslutningen i början av juni. På så sätt har den blivit vår mest kända och mest sjungna psalm. Den ingick redan i 1695 års psalmbok och uppgavs vara skriven av biskopen i Visby, Israel

Kolmodin (1634-1709). Den hade då rubriken En sommarwisa. Det berättades att Kolmodin skulle ha hämtat inspiration till texten vid sina promenader i det vackra landskapet vid Hångers källa utanför Visby. Modern psalmforskning har ifrågasatt om det verkligen var Kolmodin som skrev psalmen. Mycket tyder på att tillkomsthistorien är en myt. Den ursprungliga texten har bearbetats två gånger, av Johan Olof Wallin (1819) och av Britt G Halllqvist (1979). Hos Wallin har naturromantiska drag tillkommit, hos Hallqvist understryks solidariteten, omtanken om de hungrande och svaga. Bearbetningarna speglar tydligt den tid då de tillkommit. Också om melodins ursprung råder stor osäkerhet. En källa åberopar en tysk folkvisa, Graf von Rom, som förlaga, en annan hävdar att melodin har anknytning till Åbo. Nyare forskning har emellertid inte kunnat finna utländska belägg för meloditypen. Man har därför antagit att den trots allt är svensk.

örtesängar – jordstycken där man odlar blommor
hörer – hör
mångahanda – flera slags
Ordets djupa grund – Bibelordens djupaste mening

70 I denna ljuva sommartid

(psalm 200 i *Den svenska psalmboken*) Den lutherska kyrkans främste psalmdiktare, Paul Gerhardt (1617-1676), fick den här psalmen publicerad första gången 1653 under rubriken Sommerlied, Sommarvisa. I den tyska originalversionen består texten av hela femton strofer. Den översattes till svenska 1725 av riksrådet Joachim von Düben och bearbetades 1855 av Christoffer Olofsson Angeldorff. I 1937 års psalmbok fanns tio strofer med. När den i Britt G Hallqvists bearbetning nu finns upptagen i den nya psalmboken är den nedkortad till åtta strofer. De fyra första stroferna beskriver det grönskande sommarlandskapet som en gåva från Gud och som ett synbart uttryck för Guds godhet. I den femte strofen öppnas perspektivet mot en himmelsk härlighet, som i den kristnes ögon måste vara minst lika vacker som den sommar som vi kan uppleva här på jorden. Psalmens två sista strofer uttrycker en önskan att få vara delaktig både i det jordiska och i det himmelska sommarparadiset.

håvor – gåvor
Salomo – mäktig kung i Israel på 900-talet f Kr då landet blomstrade
överdådigt mått – rikligt
berett – förberett
stode, bure – konjunktivformer av verben för att uttrycka önskan
i Andens hägn – i skydd av Den Helige Ande
allen – endast

71 Gubben Höst

(Yngve Härén, Lennart Hellsing, Knut Brodin, *Våra visor 2*, 1958) Redan Olof Rudbeck d.ä. gjorde i sin *Atlantica* (1679-1702) den svenska vintern till en person och kallade honom Bore, som långt senare blev Kung Bore, en omtyckt sagofigur i Elsa Beskows sagovärld. Lennart Hellsing har skapat höstens motsvarighet med Gubben Höst. Liksom Gumman Tö hos Beskow har han en kvast som ett av sina attribut. Melodin har Hellsing hämtat från folklig tradition.

72 Vem tar hand om hösten

(*60 visor från 60-talet*, i urval av Sid Jansson, 1973) Lars Göransson (1942-1981) var verksam som trubadur. Sången har med sin behagfulla melodi och sin naiva undran "Vem tar hand om hösten" blivit Lars Göranssons mest kända visa.

73 Nej se det snöar

(Felix Körling, *Kisse-Misse-Måns och andra visor*, 1913) Felix Körling (1864-1937) tillhör en känd svensk musikerfamilj. Han var huvudsakligen verksam i Halmstad som organist och musiklärare. Körlings visor för barn blev mycket omtyckta och gavs ut i sångsamlingar med illustrationer av bl a Hilding Nyman. Nej se det snöar beskriver barnets glädje inför det första snöfallet och förväntningar om skid- och skridskoåkning.

lipar – gråter
sätta rovor – trilla omkull
slå ytterskär – term använd vid skridskoåkning

73 Adventstid

Carl-Bertil Agnestig (f 1924) har varit verksam som körledare, musikpedagog och kompositör. Med sina sångböcker och läroböcker i instrumentalmusik har han gjort stora insatser för den kommunala musikskolans verksamhet. För Sveriges radio har han spelat in 200 barnvisor med barnkörer från Nacka. Adventstid sjungs ofta i förskolor och skolor inför den första advent, då det första ljuset i adventsljusstaken tänds.

74 Lusse lelle

Namnet Lucia förknippas inom den katolska kyrkan med en kristen jungfru från Sicilien som led martyrdöden vid 300-talets början. Lucia helgonförklarades och firas den 13 december. En annan legend berättar om en Lucia som avvisade en friare. Han hämnades genom att bränna henne på bål. Men hon tog ingen skada av elden. I det protestantiska Tyskland utvecklades den s k kinkenjes-traditionen som parallell till den katolska världens Sankt Nikolaus, som gav barnen klappar vid jul. Christkindlein, det lilla Jesusbarnet, bar en vit klänning och hade en ljuskrans i håret och delade ut klappar. Det första belägget för att sedvänjan hade överförts till Sverige finner man i Västergötland vid 1700-talets mitt, men troligt är att bruket infördes vid seklets början. Men skicket tog sig lite annorlunda former i Sverige. Utklädnaden med vit dräkt och ljuskrans behöll man, men firandet förlades till den 13 december, Luciadagen. Klapputdelningen vid jul kom i stället att tillfalla julbocken, föregångaren till jultomten. Det fanns ett annat skäl till att den 13 december var en dag att särskilt högtidlighålla. Redan under medeltiden hade man i vårt land firat natten till den 13 december, eftersom den dagen markerade julfastans början. Sedvänjan att dessförinnan slakta grisen och före soluppgången äta sju frukostar levde kvar även efter reformationen. Liksom Staffansvisorna finns det flera folkliga Luciasånger. Lusse lelle är en sådan sång. Enligt uppgift är den av värmländskt ursprung.

Lusse lelle – Lusse liten

75 Lucia

Denna äktsvenska Luciasång förekommer ofta i skolornas Luciatåg tillsammans med den traditionella Sankta Lucia. Texten skrevs 1902 av K G Ossiannilsson (1875-1970) och tonsattes av Sven Körling (1879-1948). Av diktens sju strofer har de två första levt vidare som sång. I en tävling 1992 i *Lärarnas tidning*, där det gällde att få fram de mest omtyckta sångerna i skolan, placerade sig Lucia på sjätte plats.

76 Sankta Lucia

Luciafirandet övertog vi här i Sverige vid 1700-talets början från Tyskland, där seden med den vitklädda gestalten med ljuskrans i håret hade utvecklats. Det folkliga bruket med lussebrudar kom att förknippas med den katolska Lucialegenden och hennes dag, den 13 december. Sedvänjan förmodas ha påbörjats i Västergötland. Luciafirandet som vi känner det i dag fick spridning i början av 1900-talet. *Stockholms Dagblad* anordnade 1927 den första tävlingen för att utse Stockholms Lucia. Därmed bildade man mönster för liknande arrangemang runtom i landet. Sankta Lucia, ljusklara hägring skrevs av journalisten Sigrid Elmblad (1860-1926) vid sekelskiftet. Som melodi använde hon den italienska sången Barcarole Napolitana av Teodoro Cottrau (1827-1879).

Lucia – av latinets lux, ljus
fägring – skönhet
trollsejd – sejd, ett sätt att bruka trolldom enligt förkristen nordisk religion. Namnet Lucia associerades i äldre tid till djävulsnamnet Lucifer (ljusbringaren) eller Lussepär. Man trodde att lussefärden drog fram i Lucianatten under Lucifers ledning.

77 Sankta Lucia

Denna version av Luciatexten är förmodligen den mest sjungna. Den är skriven av Arvid Rosén (1895-1973).

Lucia – av latinets lux, ljus
fjät – steg
stuva – stuga

77 Luciasången

I jämförelse med de andra Luciatexterna av Elmblad och Rosén är denna lite enklare. Förmodligen har den tillkommit för att passa de små barnens Luciatåg. Därför hörs den ofta vid förskolornas och daghemmens Luciafirande. Textursprunget är okänt men enligt en uppgift är den skriven av Gudrun Olsson.

78 Nu vaknen och glädjens

I denna Luciasång med text av S Hallström och E Aulén betonas det ljus och det hopp som Lucia för med sig i vintermörkret. Musiken är skriven av Ejnar Eklöf (1886-1954), tonsättare och organist.

vaknen och glädjens – vakna och gläds
mö – flicka
oss bringar – oss ger

79 Staffan stalledräng

I dagens Luciatåg den 13 december uppträder förutom Lucia och hennes tärnor även vitklädda stjärngossar med guldstjärnor i händerna. I detta firande är det tre från början skilda traditioner som förenas: Luciaseden med ursprung i tysk kinkenjes-tradition, seden att gå med stjärnan, även den av tyskt ursprung, samt seden med staffanssjungning, en nordisk tradition med rötter i medeltiden. Samtliga tre bruk ingick i jultidens tiggeriupptåg, när ungdomarna gick runt i byn och uppträdde och sjöng för att få en bit mat, lite brännvin eller någon annan gåva. Folkseden att i äldre tid rida kring i byn och sjunga Staffansvisor utövades på den helige Staffans namnsdag, annandagen. Att gå med stjärnan, dvs en lysande stjärna av papper eller annat material, och att framföra ett spel om Kristi födelse och de tre vise männen är ett skick som kom till Sverige under 1600-talet. I ett rättegångsprotokoll från 1655 kan man läsa att några ynglingar "i förleden julhelg lupit kring om staden med en stjärna och apats med Kristi födelse och andra heliga verk". Det finns många källor från 1800-talet som vittnar om att de tre sedvänjorna ännu hölls åtskilda, men efter hand har traditionerna lösts upp, och annandagens och trettondagens skick har i stället förenats med Luciatraditionen den 13 december. Denna version av Staffan var en stalledräng ska enligt en källa ha sitt ursprung i Värmland.

80 Staffan var en stalledräng

De s k Staffansvisorna är en grupp med sånger som fått sitt namn efter två helt olika helgongestalter, dels missionären Stenfinn, som är Hälsinglands skyddshelgon, dels den helige Stefanus, som var den förste kristne martyren. Hans namnsdag infaller på annandag jul. I olika visor i Väst- och Nordeuropa framställs han som stallknekt till Herodes, villket förklarar att han i den svenska versionen kan kallas "stalledräng". Förr i tiden red ungdomarna på landet omkring och sjöng visan om Staffan i gårdarna på annandagen. Som tack skulle de bjudas på mat och dryck eller få en gåva. Den variant av Staffansvisan som här återges skiljer sig mycket lite från en av de gamla Staffansvisor som återfinns i *Svenska folkvisor* (1814-1817), utgivna av A A Afzelius och E G Geijer.

81 Sankt Staffans visa

Att vid jultid sjunga om Staffan hör samman med den medeltida kult som var förbunden med detta helgon. Staffan var annandagens namn; därför sjöng man visorna om honom denna dag. I våra folkliga traditioner är S:t Staffans egenskap av skyddshelgon för hästarna särskilt betydelsefull. På annandagen företog man i äldre tid s k staffansridning, en bondesed som levde kvar in på 1800-talet. Den innebar att man red ut till vissa bestämda källor, där hästarna vattnades. De unga män, som red ut i gryningen, sjöng Staffansvisan när de sedan red runt i gårdarna i hembyn. Denna version av sången med den karakteristiska refrängen "Ira, ira i rallalera" hör enligt en källa hemma i Norrland. En snarlik variant stammar från Vittskövle i Skåne.

82 Goder afton, goder afton (Julafton)

(Alice Tegnér, *"Sjung med oss, mamma!"*, häfte 1, 1892) Det finns en julsång med i de flesta av de nio häften med titeln *"Sjung med oss, mamma"* som Alice Tegnér gav ut mellan 1892 och 1934. Mönstret etablerades redan i det första häftet, där Julafton ingår. Texten går tillbaka på någon av de hälsningssånger som sjungs i de folkliga trettondagsspelen, ett arv från de katolska medeltida mysteriespelen. I olika källor kan man finna textfraser med samma lydelse som i Goder afton. Trettondagsspelen framfördes mellan jul och trettondagsafton av ungdomar som gick omkring mellan gårdarna på landet och uppträdde. Tre pojkar spelade de tre vise männen och en av dem bar en stjärna på en stång. Här har vi ursprunget till senare tiders stjärngossar. Seden att gå med trettondagsstjärnan avslutades alltid med att de medverkande i spelet bad om en gåva.

82 Jullov

(Mats Winqvist, *För små och stora öron*, 1979) Irène Winqvist ledde och producerade under 70-talet det populära barnradioprogrammet *Klapp och klang*, där musikerna Ivan Renliden och Olle Åkerfeldt medverkade. Man hade traditionen att varje julaftons morgon skulle ett särskilt *Jul-klapp och klang* sändas. Efter några år hade man avverkat de vanligaste julsångerna och behovet av något nytt uppstod. Irène bad då maken Mats Winqvist (f 1942), även han verksam vid Sveriges Radio, att skriva en ny julvisa. Eftersom det fanns flera sommarlovssånger men ingen som handlade om jullovet bestämde han sig för att nu skulle det äntligen göras en. Så tillkom sången. Jullov, jullov är en svängig julsång för moderna barn. Den finns i flera inspelningar, bl a en gjord av Irène och Mats Winqvist.

83 Raska fötter springa, tripp, tripp, tripp (Liten julvisa)

(*Julklappen*, 1901) Sigrid Sköldberg-Pettersson (1870-1941) har skrivit texten. I visan beskrivs det svenska julfirandet som vi känner det från hela 1900-talet: familjen samlad kring julgran, julbock och julklappar. Emmy Köhler (1858-1925) har skrivit musiken.

84 Julpolska

Rafael Hertzbergs text (1845-1896) återger stämning och traditioner typiska för den svenska familjeidyllen en julaftonskväll. Melodin är komponerad av Johanna Ölander (1827-1909).

85 Nu så är det jul igen (Kring julgranen)

(Alice Tegnér, *"Sjung med oss mamma!"*, häfte 5, 1899) Som helhet betraktad har texten snarast karaktär av en årstidsvisa som antyder naturens växlingar i ett nordiskt bondelandskap. Det är den första strofen som gett sången karaktär av julvisa.

86 Tomtarnas julnatt

(*115 sånger för de små*, 1916) Jultomten är ett tämligen nytt inslag i det svenska julfirandet. Första gången ordet jultomte förekom var som titel på en skämttidning 1864. Jultomtens utseende hade hämtats från Tyskland. Med Jenny Nyströms intagande bilder blev han snart oerhört populär och han kom att överta julbockens roll som klapputdelare på julafton. Tomtenissarna som figurerar i Tomtarnas julnatt har dock vissa drag gemensamma med den gamla nordiska hustomten. "Gubben på tomten" var den ursprungliga betydelsen av kortformen tomten, ett gårdsväsen som vakade över hemmet, såg till djuren och som kunde varna vid brand, men som också kunde ställa till förtret om han kände sig illa behandlad. Det fanns goda skäl för gårdens folk att hålla sig väl med tomten, t ex genom att ställa ut gröt till honom. I visan om Tomtarnas julnatt sägs det också att folket låtit maten stå kvar på bordet åt tomtarna. Texten är skriven av Alfred Smedberg (1850-1925) och melodin av Vilhelm Sefve, pseudonym för Wilhelm Svensson (1849-1928). Enligt visforskaren Lennart Kjellgren är uppgiften att Sefve har gjort melodin något osäker.

87 Tre pepparkaksgubbar
(Astrid Forsell-Gullstrand, *Bärina Hallonhätta och andra visor*, 1913) Visan är tillkommen i samarbete mellan Astrid Forsell-Gullstrand (1874-1952) som skrev texten och Alice Tegnér som gjorde melodin. Den har ofta använts i barnens julspel med tre pojkar som sjunger utklädda till pepparkaksgubbar. Samma år som den skrevs trycktes den också i Alice Tegnérs *"Sjung med oss mamma!"*, häfte 6 (1913).
korinter – små russin

88 Mössens julafton
Den norske författaren Alf Prøysen (1914-1970) var oerhört populär i hemlandet, främst på grund av sina visor. De var ofta skrivna på dialekt och Prøysen framförde dem till eget gitarrackompanjemang. I Sverige och andra länder har han främst blivit känd för de sex böckerna om Teskedsgumman. I Sverige kom den första boken ut 1956, och 1967 framträdde teskedsgumman i Birgitta Anderssons gestaltning i TV:s *Julkalendern*. Ulf Peder Olrog (1919-1972), sångskrivare, radioman och grundare av Svenskt visarkiv, har i flera fall förmedlat norsk barnkultur till Sverige, bl a genom att översätta Thorbjørn Egners böcker om Klas Klättermus och *Folk och rövare i Kamomilla stad*. Till Mössens julafton har Olrog skrivit en medryckande schottismelodi.

89 Hej Tomtegubbar
Ett fragment av den här numera klassiska julvisan finns i en uppteckning från 1833. Det första belägget för melodin är från 1815. Det berättas att man i Skåne under 1800-talet sjöng texten till Nigarepolskan. Under den titeln uppträder sången från 1898 i olika samlingar med sånglekar. Uppmaningen "slå i glasen" i originalet har gjort att visan i diverse varianter har använts som snapsvisa.

90 Ett barn är fött
(psalm 126 i *Den svenska psalmboken*) Psalmen har en märklig och delvis dunkel tillkomsthistoria. Ursprunget finns i en annan julpsalm, den som i den nya psalmboken kommer omedelbart före, psalm 125, Från himlens höjd jag bringar bud. Det tyska originalet till den psalmen är av Martin Luther (1483-1546). Den 15 verser långa texten

framfördes ursprungligen i form av ett julspel till en tysk folkvisemelodi. Den översattes till svenska av Olaus Martini (död 1609) och bearbetades av Johan Olof Wallin för 1819 års svenska psalmbok. Av denna svenska version har någon, okänt vem, gjort en ny text genom att sätta samman material från Wallin-psalmens andra, tionde och elfte strof till en ny helhet. Till den så uppkomna nya psalmtexten sattes sedan en ny melodi, som också den har sitt ursprung i tysk medeltida folktradition. Psalmen trycktes första gången i *Kyrklig sång* 1913.
Guds välbehag – Guds kärlek till människorna
en jungfru skär – en ren jungfru, en kvinna som inte varit tillsammans med någon man
vorden är – har blivit
ringhet – fattigdom

90 Vaggsång
(Bertil Hallin, *Det visste inte kejsarn om. 18 visor till texter av Britt G Hallqvist*, 1971) Samarbetet mellan Britt G Hallqvist (1914-1997) och Bertil Hallin (f 1931) resulterade bl a i två sångsamlingar med motiv hämtade från Bibeln. *Det visste inte kejsarn om* bygger på nya testamentets böcker om Jesu liv. Sångerna sjöngs in på skiva av Ulla Neuman och gavs ut i både Danmark, Norge och Sverige. Man spelade först in en komp-bakgrund och sedan gjordes tre versioner där Ulla Neuman sjöng på respektive språk. Denna visa är gjord som en vaggsång, som Maria sjunger för sin pojke Jesus. Hon tänker sig att pojken ska bli timmerman som sin pappa Josef. Det är en vardaglig interiör som framställs. Josef står vid svarven, Maria sjunger medan pojken sover med hyvelspån i handen. Men i hennes inre framträder minnena av de ord hon hört ängeln uttala och de gåvor som de vise männen överlämnat.
ängelns ord – syftar på ängeln som visat sig för Maria och talat om att hon ska föda Guds son (Luk. 1:35)
kungagåva – de gåvor som de vise männen förde med sig
Glöm din stjärna – stjärnan i öster som väglett de vise männen

91 När det lider mot jul
(Ruben Liljefors, *När det lider mot jul och andra barnvisor*, 1955) Texten till denna julvisa är av Jeanna Oterdahl (1879-1965) verksam vid Högre lärarinneseminariet i Göteborg. Hon skrev sagor och vistexter och publicerade även uppbyggelselitteratur. Den omtyckta melodin har Ruben Liljefors (1871-1936) som upphovsman. Vid sekelskiftet 1900 var han en av de mest uppmärksammade kompositörerna i Sverige. Han skrev symfonier, pianokonserter och en lång rad körverk och solosånger. Liljefors hade sin musikaliska förankring i tysk romantisk tradition men hämtade gärna inspiration från svensk folk-

musik. När det lider mot jul höll på att falla i glömska, men spelades in på skiva och hördes i TV i början av 60-talet – och plötsligt fick visan en popularitet som sedan dess stått sig.

blid – mild

92 Stilla natt

(psalm 114 i *Den svenska psalmboken*) Tillkomsthistorien bakom denna den mest kända av alla julpsalmer finns exakt återgiven. Texten skrevs inför julen 1818 av Joseph Mohr (1792-1848), som då tjänstgjorde som ung präst i byn Oberndorf i Österrike. Det berättas att kyrkans orgel var under reparation och att Mohr ville göra något för att julmässan också utan orgelmusik skulle upplevas riktigt stämningsfull. Han skrev en text med utgångspunkt från julevangeliet och bad på julaftonens morgon församlingens organist Franz Gruber (1787-1863) att göra en melodi för två röster, kör och gitarrackompanjemang. Vid julnattens mässa 1818 i Oberndorf kunde Stilla natt så framföras för första gången. Till Sverige kom psalmen först nästan hundra år senare, då Oscar Mannström (1875-1938), präst i Adolf Fredriks församling i Stockholm gjorde den första översättningen. En variant skrevs 1917 av Edvard Evers (1853-1919), kyrkoherde i Matteus församling i Norrköping. Den text som sedan infördes i 1937 års svenska psalmbok skrevs av Torsten Fogelquist (1880-1941) på grundval av de båda tidigare översättningarna. Stilla natt är numera översatt till många språk och finns inspelad i en rad tolkningar av världens allra främsta sångsolister och körer. På julnatten sjungs den numera i alla världens kristna kyrkor.

de vakande fromma två – Maria och Josef
änglars här – änglarna framställs ibland som en krigshär
   för Guds godhet
slår sin rund kring – bildar en skyddande cirkel runtom
jubelår – glädjeår

93 Bereden väg för Herran

(psalm 103 i *Den svenska psalmboken*) Psalmen sjungs i allmänhet som inledningspsalm vid gudstjänsten den första söndagen i advent. Skalden och biskopen Frans Michael Franzén (1772-1847) publicerade psalmen som en provpsalm 1812. Texten kritiserades i en recension i *Litteratur-Tidningen* samma år. Franzén gjorde en omarbetning som trycktes 1817. Melodin finns belagd från 1694 och är troligen svensk. Psalmen hade ursprungligen sju strofer. I den nya psalmboken fick den sjunde strofen utgå. Texten är uppbyggd kring en mängd anspelningar på olika texter i Bibeln. Ett litet urval är följande:
Bereden väg för Herran – Jes. 40:3, Matt. 21:9
Välsignad vare han som kommer, i Herrens namn – Matt. 21:9

Strö palmer, bred ut kläder – Joh. 12:13
Hosianna – hebreiskt ord som betyder hjälp, giv lycka, Matt. 21:9

94 Hosianna Davids son

(psalm 105 i *Den svenska psalmboken*) Orden är hämtade ur Bibeln: "Hosianna, Davids son! Välsignad vare han som kommer, i Herrens namn, Hosianna i höjden!" (Matt. 21:9) Bibeln berättar att Jesus vid sitt intåg i Jerusalem hälsades med dessa ord. I psalmen används orden för att välkomna Jesus till världen vid hans födelse. Den som satte musik till bibelorden var Joseph Vogler (1749-1814), son till en tysk fiolmakare. Vogler var utbildad och prästvigd i Rom men gjorde sig känd som musikpedagog i Mannheim. 1786 kom han till Stockholm och anställdes som hovkapellmästare vid Kungliga teatern, där han stannade till 1799. Hosiannamelodin skrev han under sin tid i Sverige.

Hosianna – hebreiskt ord som betyder hjälp, giv lycka

94 Nu tändas tusen juleljus

(psalm 116 i *Den svenska psalmboken*) Denna julaftonsvisa trycktes för första gången i *Korsblomman* 1898. Emmy Köhler (1858-1925) har skrivit både text och melodi. Visan anknyter till en lång tradition av sånger med motiv från Bibelns berättelse om Betlehemsstjärnan (Matt. 2:1), samtidigt som den på ett originellt sätt förbinder de många julljusen som tänds i hemmen på julnatten med himlens alla stjärnljus. Visan togs in i den svenska psalmboken 1986.

rund – klot
armt – fattig, som har det svårt

95 Var hälsad sköna morgonstund

(psalm 119 i *Den svenska psalmboken*) Denna psalm av Johan Olof Wallin (1779-1839) upptogs i 1819 års psalmbok och har blivit den självklara upptakten till julottan i alla svenska kyrkor. Textens fyra strofer ägnas olika tider av kyrkoåret och olika delar av det kristna budskapet: Kristi födelse och Kristi död, Kristi efterföljelse och den yttersta tiden. Melodin är av den tyske prästen Philip Nicolai (1556-1608), som ursprungligen skrev den till sin egen psalmtext Wie schön leuchtet der Morgenstern. Denna finns i en svensk variant av Wallin som psalm 319 i psalmboken, Så skön går morgonstjärnan fram.

helga – heliga
är oss bebådad vorden – som vi i förväg har fått kännedom
   om
Guds väsens avbild – han som liknar Gud
lända – komma
de villade – de som gått vilse
de elända – de som har det svårt

Anda – Den Helige Ande
sorgekalken – livets bittra dryck (-eskärl)
varda – bliva

96 När juldagsmorgon glimmar

(psalm 121 i *Den svenska psalmboken*) I mitten av 1800-talet kom denna julsång till Sverige och sjöngs först inom frikyrkorörelsen. Ursprunget är inte helt klarlagt. Musiken är hämtad från en tysk folkmelodi och som författare uppges en för övrigt okänd Abel Burckhardt. En första svensk översättning publicerades 1851 i nr 13/14 i *Andelig Örtagård för Barn*, utgiven i Jönköping. 1856 dök psalmen upp i *Andliga sånger för barn*, häfte II, samlade av Betty Ehrenborg-Posse (1818-1880). Stoferna 2 och 3 i den nya psalmboken har hämtats från den version av sången som står i *Sjung, svenska folk!* (1906). Det är okänt vem som har författat dessa båda strofer.

är vorden – har blivit
vårt lov vi höjer - vi hyllar med sång

97 Gläns över sjö och strand

(psalm 134 i *Den svenska psalmboken*) Texten är ursprungligen en dikt ur Viktor Rydbergs (1828-1895) roman *Vapensmeden* (1891), där sången framförs av berättelsens Margit, vapensmeden Gudmunds dotter, sittande i en båt under en roddtur en försommardag på Vättern. Alice Tegnér (1864-1943) tonsatte Rydbergs dikt och publicerade den i *"Sjung med oss, mamma!"* (häfte 2, 1893).

Sion – Israel
Orion – en stjärnbild
korus – kör
gånga – gå
Eden – Paradiset
visa leden – visa vägen
glindrande – glimmande

Djur och natur

100 Blåsippor

(Alice Tegnér, *"Sjung med oss, mamma!"*, häfte 3, 1895) Melodin komponerade Alice Tegnér (1864-1943) då hon var verksam som musiklärare i Djursholm. Hon hade varit klasskamrat med Selma Lagerlöf och Anna Maria Roos (1862-1938) vid Högre Lärarinneseminariet i Stockholm. Alla tre har haft stor betydelse för barnvisans och barnbokens utveckling i Sverige. Anna Maria Roos har skrivit texten till blåsippsvisan. Ursprungligen publicerades den i *Lilla Elnas Sagor* (1894).

100 Videvisan

(Alice Tegnér, *"Sjung med oss, mamma!"*, häfte 3, 1895) Som tonsättare var Alice Tegnér noga med att välja goda textförfattare. Videvisan är skriven av en av 1800-talets mest kända finlandssvenska författare, Zacharias Topelius (1818-1898). Som barnboksförfattare gjorde han sig känd genom en lång rad sagor och berättelser, samlade i serien *Läsning för barn* (1865-1898). Topelius skrev också teaterpjäser för barn (t ex *Fågel blå*) och en lång rad barndikter, av vilka många blev tonsatta. Videvisan är en vacker kombination av årstidsvisa och vaggvisa, där videkvisten med sina mjuka, gråvitludna blomställningar vaggas till sömns som ett sovande spädbarn.

101 Ask

(Kerstin Andeby och Lena Anderson, *Majas alfabetssånger*, 1992) Lena Anderson (f 1939) gav 1984 ut *Majas Alfabet*. Vid den tiden hade hon redan en omfattande erfarenhet som skapare av bilderböcker för barn. Tillsammans med Lena Björk har hon åstadkommit ett par verkligt stora succéer i genren, t ex genombrottet *Linnea planterar kärnor, frön och annat* (1978) och framför allt *Linnea i målarens trädgård* (1985), som har översatts till många olika språk och blivit en internationell framgång. I *Majas alfabet* representeras alfabetets olika bokstäver av var sin växt vars begynnelsebokstav svarar mot den aktuella bokstaven i alfabetet. I detta urval står A för Ask, B för Blåklint, E för Ek, H för Humle och R för Rönn. Till varje växt/bokstav finns en liten dikt. Helheten hålls samman av Maja som för ordet och figurerar i bokens illustrationer. Lena Andersson knyter med sin bok an till en äldre tradition. I *Prinsarnas Blomsteralfabet* (1898) förenar Ottilia Adelborg på samma sätt en bokstav i alfabetet med en växt som är avbildad och försedd med en vers. Ask inleder Majasångerna. Här gestaltas det unga barnets glädje i att gunga i den gamla asken. Musiken har skrivits av Kerstin Andeby (f 1952), kompositör, körledare och musikpedagog. Musiken i hela samlingen präglas av den goda populärmusikens melodik, harmonik och rytmik.

102 Blåklint

(Kerstin Andeby och Lena Anderson, *Majas alfabetssånger*, 1992) Kerstin Andeby, som skrivit musiken till *Majas alfabetssånger* har berättat att hennes dotter fick Lena Andersons *Majas alfabet* i doppresent. Åren gick och så småningom började mamma Kerstin läsa högt ur boken, men dottern som var van vid musik uppmanade sin mamma att inte läsa: "Läs inte! Sjung, mamma!" Så blev det, och en efter en växte visorna fram. Melodin till Blåklint följer orden på ett naturligt sätt, där färgordet blått eller blå framhävs i uthållna halvnoter i kontrast till den för övrigt rörliga melodin.

102 Ek

(Kerstin Andeby och Lena Anderson, *Majas alfabets-sånger*, 1992) Kerstin Andeby provade några av sina ton-sättningar av Lena Andersons dikter i undervisningen för blivande barnskötare, hon testade dem i sin barnkör och märkte att de väckte entusiasm. Hon har uttryckt det så, att dikterna i sig själva inbjöd till tonsättning. Vid ett körframträdande i Karlstad ville barnen väldigt gärna sjunga Majasångerna. Man spelade in en demo som skickades till Lena Anderson med förfrågan om det gick bra att använda texterna vid konserten. Svaret innehöll endast ett ord: "Fortsätt!" I visan om eken gestaltas bar-nets fantasi i föreställningen om vännerna högt upp i eken.

103 Humle

(Kerstin Andeby och Lena Anderson, *Majas alfabets-sånger*, 1992) Kerstin Andebys arbete med att sätta musik till Lena Andersons dikter i *Majas alfabet* hade påbörjats 1986. Arbetet resulterade 1992 i en cd-inspelning som gjordes med den egna barnkören och med Peter Wann-gren som arrangör i skivstudion i Karlstad. Lena Ander-son deltog vid den konsert som hölls i anslutning till att skivan gavs ut och målade Maja-bilder på plats till sånger-na. Melodin till Humledikten är en av de mest livfulla i sångsamlingen, vilket passar till en sång om den snabb-växande humlen som slingrar sig om allt som kommer i dess väg.

humlestång – ett sätt att binda upp humlen

104 Rönn

(Kerstin Andeby och Lena Anderson, *Majas alfabets-sånger*, 1992) Kerstin Andebys och Peter Wanngrens ar-bete med cd:n till *Majas alfabetssånger* tog fyra år att slut-föra. Framgångarna lät inte vänta på sig. Skivan belöna-des med en Grammis 1992 för bästa barnproduktion. I juryns motivering heter det: "Kerstin Andebys musik framhäver hennes [Lena Andersons] poetiska egenart och Peter Wanngrens variationsrika arrangemang ger barn tillfälle att uppleva toner och olika instrument". Skivan har sålt i 50 000 exemplar och därmed uppnått guldskive-status. Rönn-visans text bygger på föreställningen att täta rönnklasar förebådar en sträng vinter.

105 Kantareller

(Jeanna Oterdahl, *Blommornas bok*, 1905) Jeanna Oter-dahl (1879-1965) var lärarinna i Göteborg, på sin tid mycket uppmärksammad och uppskattad som kristen folkbildare, inte minst genom sina sagor, berättelser och visor för barn. Visan om familjen Kantarell är kanske hennes mest kända. Den fanns med från början i den mest spridda av alla svenska sångböcker för barn, *Nu ska vi sjunga*, utgiven 1943 på initiativ av Alice Tegnér och illustrerad av Elsa Beskow. Musiken har gjorts av Her-man Palm (1863-1942), mest känd för sin tonsättning av Blommande sköna dalar.

106 Plocka svamp

(Felix Körling, *Nicke-Nacke och andra visor*, 1934) I sång-en nämns några av de vanligaste matsvamparna, Karl Jo-han, smörsopp och champinjon, men också den giftiga flugsvampen som man ska undvika. Visans upphovsman, Felix Körling (1864-1937), bidrog med sina populära sånger till att göra årtiondena kring sekelskiftet 1900 till en blomstringstid för barnkulturen i Sverige. Plocka svamp ingår i Nicke-Nacke, en av Körlings vissamlingar med illustrationer av Aina Masolle.

107 Alla fåglar kommit ren

(Jacob Axel Josephson, *En- och flerstämmiga sångstycken*, 1861) Alle Vögel sind schon da är titeln på det tyska origi-nalet till denna visa. Textens upphovsman är August Heinrich Hoffman von Fallersleben (1798-1874), också känd för att ha skrivit texten till nationalhymnen Deutschland, Deutschland über alles. Alle Vögel ... är ex-empel på den typ av folkviseimitationer som han gärna skrev. Melodin är en tysk folkvisa. I Sverige fick sången spridning i och med att den publicerades i första häftet av J A Josephssons *En- och flerstämmiga sångstycken* (1861). Sången kom senare att ingå i *Nu ska vi sjunga* (1943).

ren – redan
förkunna – meddela, tillkännage

108 Gåsa, gåsa klinga

Det finns flera olika varianter av denna gamla barnvisa. Gemensamt för dem alla är de täta rimmen som har ka-raktär av ramsa och flera fraser som hör folkvisetradito-nen till. Barnet som får flyga på en fågelrygg till en annan trakt eller till ett annat land är ett vanligt sagomotiv. I en stor del av världen har det blivit känt genom Selma La-gerlöfs *Nils Holgerssons underbara resa genom Sverige* (1906-07). Den här visan har varit i bruk som vaggvisa, där barnet i sömnen och drömmen tänkes bli förflyttat till ett vackert land som lyser av guld.

rosende lund – ett skogsparti med blommande rosor; en formelfras i folkvisetraditionen

109 Bä, bä, vita lamm

(Alice Tegnér, *"Sjung med oss mamma!"*, häfte 1, 1892) Sången bygger på en engelsk förlaga, Baa, baa, black sheep. Det engelska originalet finns i tryck redan 1744 i *Tommy Thumb's Pretty Song Book*. Översättningen till svenska 1872 gjordes av ingen mindre än August Strind-berg. Han hade av Bonniers fått uppdraget att översätta några engelska barnböcker. Texten fanns med i Ottilia Adelborgs *Ängsblommor* (1890) i en uppteckning hon enligt uppgift gjort i Blekinge. Alice Tegnér (1864-1943) tonsatte den lilla dikten och tog den med i *"Sjung med oss mamma!"*, det första häftet med barnvisor i en lång serie.

109 Ekorr´n satt i granen

(Alice Tegnér, *"Sjung med oss, mamma!"*, häfte 1, 1892) Alice Tegnér använde gärna texter av folkligt ursprung för sina tonsättningar. Ekorr´n satt i granen är ett gott exempel. En tänkbar förlaga återfinns i Nordlanders *Svenska barnvisor och barnrim* (1866): Ekorrn satt i högan tall. Visan om ekorren, liksom många andra av Alice Tegnérs visor, har flera generationer kommit att förknippa med den sångbok som sedan 1943 användes i småskolan, *Nu ska vi sjunga*.

110 Lilla snigel

Lilla snigel är en sång för de allra minsta barnen. Tonomfånget sträcker sig inte över en kvint och texten är enkel. Som sånglek slutar den med att man "tar" den som sitter närmast. Ursprunget till Lilla snigel är okänt.

110 Vem krafsade på dörren

(Laci Boldeman, *Kalle kulör*. Texter av Britt G Hallqvist, 1970) Britt G Hallqvist (1914-1997) har blivit känd för sin litterära mångsidighet. För musikteatern har hon översatt så skiftande verk som *Figaros bröllop* och *Jesus Christ Superstar* och för talteatern dramer av Shakespeare och Goethe. Hon har bearbetat äldre psalmer och skrivit ett 40-tal barnböcker. Laci Boldeman (1921-1969) var verksam som musiker, kompositör och pedagog. Barnets förtjusning i djur är temat i denna omtyckta visa.

111 Tänk om jag hade en liten, liten apa

(Yngve Härén, Lennart Hellsing, Knut Brodin, *Våra visor 3*, 1960) Visan blev känd för svenska barn genom publiceringen i *Våra visor*, men är enligt uppgift av äldre ursprung. Även om den är helt i Hellsings stil, så är den inte försedd med hans signatur utan måste betecknas som traditionell, dvs muntligt traderad med anonymt ursprung. Själva vistypen, önskevisan med det inledande Tänk om jag hade..., kan man känna igen från folkvisetraditionen.

112 Jonte Myra

(Olle Widestrand, *Smått och gott*, 1977) Widestrand (f 1932) har här gjort ny musik till en visa som ursprungligen komponerades och skrevs av baptistpastorn Herbert Brander (1903-1984), under lång tid verksam i Stockholm. Brander var en eldsjäl inom söndagsskolan och skrev åtskilligt musikpedagogiskt material för sådan barnverksamhet. Visan om Jonte Myra har blivit en klassiker. Den blev till den grad förknippad med dess författare att man lät Branders och hans hustrus gravsten prydas med en liten myra som drar sitt strå. Bilden var betecknande inte bara för författarens visa utan också för makarna Branders livsgärning.

112 Balladen om den kaxiga myran

Stefan Demert (f 1939) slog igenom på Folkparkernas Artistforum 1970 och visan om den kaxiga myran fanns samma år med på hans första LP-skiva, *Visor för smutsiga öron*. Demert gjorde sig känd för sina underfundiga och ofta burleskt ironiska visor, där han blandar folklig bondkomik med genomskådande samhällssatir. Både på skiva och på scen har han ofta framträtt i par med Jeja Sundström.

Anåda – gammal svordom, här detsamma som Gud nåde dig

Toy – tuggummit Toy var för generationer det enda tuggummit. Idag har tillverkningen upphört.

114 Ville Valross

Björn Clarin (f 1936) har en stor produktion barnvisor bakom sig, både som kompositör och textförfattare. Tillsammans med Kurt Gunnar Larsson (f 1929) gjorde han redan 1959 de första visorna för TV till figurerna *Humle och Dumle*. Under 60-talets första år producerades en serie populära Humle och Dumle-program från Göteborgsstudion. 1987 gjorde paret comeback i Fredrik Belfrages *Go´morron Sverige* och ytterligare vismaterial tillkom. Sammanlagt producerade Björn Clarin åtta Humle och Dumle-skivor. Visan om Ville Valross är en dialogvisa som gör den väl lämpad att sjungas med barnen indelade antingen i två sånggrupper eller med kör och soloröst. Stroferna 1, 3 och 5 vänder sig till Ville och stroferna 2 och 4 är Villes svarsrepliker.

114 Jag är en liten undulat

Melodin till denna visa känner många igen som schlagern Med en enkel tulipan. Jules Sylvain, pseudonym för Stig Hansson (1900-1968), skrev sången sedan han tillsammans med textförfattaren Sven Paddok passerat en blomsterhandel på Drottninggatan i Stockholm, där man skyltade med tulpaner. Sången togs med i Hodells tältrevy sommaren 1938. Senare sjöng Harry Brandelius in den på skiva. Sången blev populär i hela landet och flitigt brukad vid födelsedagsuppvaktningar. Texten till denna humoristiska barnvisevariant om undulaten som helst äter glass och coca cola är gjord av Bengt Nordström (f 1936). I en version av Olle Widestrand är texten utökad med ytterligare tre strofer.

115 Klättermusvisan

(Thorbjørn Egner, *Klas Klättermus och de andra djuren i Hackebackeskogen*, 1954), När Thorbjørn Egner (1912-1990) gav ut sin berättelse om *Klatremus og de andre dyrene i Hakkebakkeskogen* (1953), var han redan etablerad inom norsk barnkultur. Han skrev berättelser som han illustrerade och försåg med sånger. Visorna i boken om djuren i Hackebackeskogen är emellertid av tonsättaren Christian Hartmann (f 1910). Klas Klättermus översattes av Ulf Peder Olrog (1919-1972) och Håkan Norlén (f 1917). Olrog var känd vissångare och visdiktare och verksam vid Svenskt visarkiv, som han tagit initiativ till 1951. Också Norlén hade gjort sig känd som visdiktare och arbetade under 50-talet vid STIM, Svenska tonsättares internationella musikbyrå. Historien och sångerna om Klas Klättermus blev osedvanligt populära och gavs ut i många länder. Berättelsen dramatiserades och sattes upp på flera scener både i Norge, Sverige och i andra länder. Skivinspelningar och en filmatisering bidrog till framgången. I Klättermusvisan presenterar Klas Klättermus sig själv.

116 Pepparkakebagarns visa

(Thorbjørn Egner, *Klas Klättermus och de andra djuren i Hackebackeskogen*, 1954) Med all säkerhet är detta den enda visa som innehåller ett recept på pepparkakor. I berättelsen om Klas Klättermus sjunger Jösse Bagare sången för bagarpojken, som håller på att läras upp. När bagarpojken sedan ska baka efter sångens recept, som han precis har lärt sig, tar han i stället för en tesked peppar ett helt kilo. Berättelsen och sångtexten är av Thorbjørn Egner och musiken av Christian Hartmann.

117 Visan om Bamsefars födelsedag

(Thorbjørn Egner, *Klas Klättermus och de andra djuren i Hackebackeskogen*, 1954) Sången ingår i Thorbjørn Egners och Christian Hartmanns Klas Klättermus. Visan beskriver hur alla djuren i skogen samlas för att fira björnen Bamsefars femtioårsdag.

118 Teddybjörnen Fredriksson

(Lars Berghagen, *Ge mej din sång*, 1970) Lasse Berghagen (f 1945) har sedan mitten av 60-talet etablerat sig som sångare, visdiktare, revyartist och under 90-talet också som omtyckt programledare i TV: *Allsång på Skansen*. Det var med barnvisan Teddybjörnen Fredriksson som han blev riktigt känd för barnpubliken. Visan sjöngs ursprungligen in av Ann-Louise Hansson 1969. Den riktiga Teddybjörnen Fredriksson förvaras numera i låst monter på Leksaksmuseet i Stockholm.

119 Bamses signaturmelodi

Bamse är namnet på den rättrådige björnen som står på de små och försvarslösa djurens sida, som inte tycker om att slåss men som när det väl gäller klarar alla besvärliga situationer med hjälp av farmors dunderhonung. Den ger honom superkrafter. Bamse blev omtyckt av alla barn när han visade sig i tecknad film i TV första gången 1966. Bamses skapare, Rune Andréasson (f 1925), gjorde de första svart-vita filmerna om Bamse, Skalman, lille Skutt och de andra djuren tillsammans med sin hustru i källaren hemma i villan. Den trygga berättarrösten i filmerna (så småningom även på skivorna och banden) tillhör skådespelaren Olof Thunberg. Bamse blev så efterfrågad bland barn att han fr o m 1973 fick sin egen serietidning. När Andréasson gick i pension hade han skrivit och tecknat sammanlagt 200 Bamsetidningar. Sten Carlberg (1925-1998) hade gjort den instrumentala titelmelodin till filmerna. När man skulle göra en skivinspelning skrev Andréasson en text till melodin. Sten Carlberg var välrenommerad jazzgitarrist, som bl a medverkade som "Öset Luhring" i Mosebackeorkestern Helmer Bryds Eminent Five Quartet. Han har vidare skrivit den kända Sommar, sommar, sommar, signaturmelodin till det långlivade sommarpratarprogrammet i radions P1. Inom barnunderhållningen tillhörde hans röst en av de mest hörda under 70-talet. I sammanlagt 650 inslag gav han stämma åt krokodilen Jena i TV-programmet *Drutten och krokodilen*. Carlberg var anställd vid Sveriges Radio och verkade bl a som chef för barnavdelningen mellan 1966 och 1969.

120 Okända djur

(Beppe Wolgers, *Djur som inte...*, 1956) Bland Beppe Wolgers (1928-1986) många insatser för svensk barnkultur hör hans vistexter till det som kommer att bestå. Okända djur är en av de finaste. Den är skriven i nära samarbete med Olle Adolphson (f 1934), som först fick en skiss till texten och sedan fann den perfekta melodin. Därefter kunde Beppe göra texten klar. Beppe har barnens fantasi och diktarens förmåga att hitta ord, t ex för att sätta namn på djur som bara kan finnas i fantasin: pluver, silf och huller-om-buller, som här ägnas var sin strof i visan. Pluver har säkert med den romerska regnguden Jupiter pluvius att göra. Silf antyder snöflingans silverfärg. Olle Adolphson sjöng visan först i radioprogrammet *Var fjortonde dag*, därefter i Lulu Zieglers kabaret på Hamburger Börs och den blev sedan också ett huvudnummer på Adolphsons debutskiva 1956.

Sång med lek och dans

124 Björnen sover

Många sånglekar har förts vidare i muntlig tradition genom sekler. Om ursprunget är det ofta svårt att uttala sig bestämt. Björnen sover tillhör de äldsta. Varifrån den kommer vet man inte, bara att nära nog alla svenska barn har lekt den. Melodin – en marsch – är hämtad från Gubben Noak, Carl Michael Bellmans visa, publicerad som Sång nr 37 i *Fredmans sånger* (1792). Bellmanforskarna har inte kunnat säga med bestämdhet om Bellman själv gjort melodin eller varifrån han skulle kunna ha hämtat den. När visan om Gubben Noak väl blev känd, kom melodin att användas till en mängd olika texter under tvåhundra år, också till åtskilliga sångtexter för barn.

124 Fem fina fåglar

(Jujja och Tomas Wieslander, *Lång stång sång*, 1984) Jujja (f 1944) och Tomas Wieslander (1940-1996) satte under ett par decennier sin prägel på svensk barnkultur. När deras barn var små under 70-talets första hälft, började de skriva ned barnens funderingar och resonemang. Snart hade de rikligt material för både sånger och berättelser. Tillsammans med likasinnade hade de bildat ett kollektiv i Dalarna, och för att kunna bidra med pengar började de 1975 arbeta med barnprogram för TV. En lång rad TV-program, böcker och inspelningar följde efter hand. Särskild framgång har de haft med böckerna om Mamma Mu och kråkan som är utgivna i 17 olika länder. Sven Nordqvists illustrationer har i hög grad bidragit till succén. Fem fina fåglar är redan en klassiker på dagis och i förskola.

125 Kaninvisan

(Jujja och Tomas Wieslander, *Lång stång sång*, 1984) Kaninvisan har visat sig vara en av de mest slitstarka moderna sångerna för barn i förskoleåldern. Det har säkert sin förklaring i att Jujja och Tomas Wieslander alltid har haft barns tankevärld och medskapande som utgångspunkt för sina sånger.

127 Vipp-på-rumpan-affärn

(Jujja och Tomas Wieslander, *Lång stång sång*, 1984) Denna uppsluppna visa är gjord av Jujja och Tomas Wieslander. Inslagen av upprepning, dialog och enstaka partier med talsång gör sången varierad, lätt att lära och populär att sjunga. Jujja och Tomas Wieslander arbetade med barn-TV och gjorde skivinspelningar tillsammans med Vardagsgruppen. Deras barnsånger har uppfattats som förnyande, säkerligen för att visorna bygger på barnens föreställningsvärld och erfarenheter.

128 Huvud, axlar, knän och tår

Barnens sånglekar har naturligtvis ofta en pedagogisk funktion: att lära genom att leka. Den här sången, som i olika varianter har internationell spridning, stimulerar de små barnens motorik samtidigt som den inpräglar namnen på kroppsdelarna genom att man både rör och benämner. När alla kan visan och rörelserna, kan man sjunga den flera gånger i följd och för varje gång öka tempot, tills det blir nästintill omöjligt att följa med i rörelseschemat.

129 Imse vimse spindeln

(*Nu ska vi sjunga*, 1943) När Imse vimse spindeln publicerades första gången i Sverige skedde det i *Nu ska vi sjunga*. Det innebär att nästan alla svenskar har kommit i kontakt med sången. Den blev snabbt en populär rörelsesång. Förlagan är förmodligen engelsk (Itsy Bitsy Spider) men den är även känd i andra länder, som t ex Tyskland (Imsi Wimsi Spindlein) och Norge (Lille Petter Edderkopp). För övrigt är ursprunget höljt i dunkel. Olle Widestrand har skrivit en rysskklingande textvariant (Imsi vimsi spinski) och Clas Rosvall har bidragit med En vimsig visa. Hoppe hoppe hare av Ingrid Fernholm ska sjungas på samma melodi som Imse vimse spindeln.

129 Rockspindeln

På kort tid har Rockspindeln blivit något av en modern dagisklassiker. Barnens förtjusning i sången bygger dels på igenkännandet av den beskedligare förlagan Imse vimse spindeln, dels på den rockinfluerade melodin. Det livfulla rörelsemönster som hör till sången är lika uppskattat. Vem som har gjort text och musik till Rockspindeln vet man inte.

130 En elefant balanserade

Visan är en s k härmningsvisa, där man med armar och sättet att gå försöker likna tunga elefanter men samtidigt rör sig så fint och elegant som om man balanserade på en spindeltråd. Visan har enligt uppgift danskt ursprung.

131 Klappa händerna

Förlagan till sången lär vara amerikansk. Tema och variation kännetecknar denna sånglek. Rörelserna varieras för varje vers. I den avslutande versen upprepar man alla rörelserna i en följd i den ordning de förekommit i sången.

132 Tomten och haren

Denna omtyckta rörelsevisa är av okänt ursprung, men dess melodi är snarlik söndagsskolesången Är du glad, av hjärtat nöjd och Evert Taubes Flickan i Havanna.

133 En kulen natt

Som så många sånglekar för de mindre barnen bygger visan på en koordination mellan ord och gester som utförs individuellt. Samtidigt ger den sista frasen – Det var du! – med sin åtföljande pekande rörelse kontakten barnen emellan.

134 Tigerjakten

Upphovsmannen till Tigerjakten heter Leif Walter (f 1949), som tillsammans med Gert-Ove Smedlund utgör den populära duon Mora Träsk. Gruppen bildades redan 1971 och mellan 1981 och 1999 reste Walter och Smedlund landet runt på heltid och roade barn. Sammanlagt 3 500 föreställningar hann man med. Under denna tid gjorde gruppen även serier för TV och arbetade i studion med skivinspelningar. Genom åren har man sålt stora mängder band och cd-skivor. Med Små grodorna har duon dessutom legat på Svensktoppen. Tigerjakten blev något av en signatursång för Mora Träsk. Den bygger på att man har en jaktledare som försångare och att övriga jägare sjunger efter. En extra finess är att sången ska exekveras med tungan inskjuten mellan underläppen och nedre tandraden. Då både låter man och ser ovanligt fånig ut, något som barn skattar högt.

135 Bockarna Bruse

Berättelsen om Bockarna Bruse är en av de klassiska sagorna i Asbjørnsens och Moes *Norske folkeeventyr* (1842-1844), en samling som fick stor spridning också i sin svenska översättning. Arvid Höglund (f 1911) gjorde sagan till visa genom att låta varje bock få var sin strof, innan trollet stångas i ån i den avslutande fjärde strofen. Visan kan naturligtvis sjungas både med och utan det angivna rörelsemönstret. Den publicerades 1950 i samlingen *Sången i skolan.*

137 Moster Ingeborg

Moster Ingeborg är en rörelsesång som förekommer i många olika versioner. Texten är tillkommen i en tid när dammodet omfattade detaljer som muffar och hattfjädrar. Ursprunget till sången är okänt.

muffen – skinnmuff, handvärmare av päls att bära på magen

138 Min gamle kompis Kalle Svensson

Melodin till visan om kompisen med det helsvenska namnet Kalle Svensson känner vi också med en helt annan engelsk text: She'll be coming round the mountain when she comes. Den svenska textens ursprung är okänt. Visans huvudperson är en slags manlig motsvarighet till den föregående visans Moster Ingeborg. Samma melodi används ofta till en annan svensk text av typen: "Du skall få min gamla cykel (svärmor), när jag dör./ För vad ska jag med det skrället,/ när jag ligger i kapellet?/ Du skall få min gamla cykel när jag dör."

139 Wodeli Atcha

(*Låtar som tänder*, 1987) Wodeli Atcha är en rörelsevisa med okänd historia. Den suggestiva texten antyder att det är ett okänt språk som hörs eller att Wodeli atcha är ett exotiskt namn. Men texten kan lika gärna vara en fantasiprodukt grundad på glädjen att leka med ord och språk.

140 Sabukuaja

Denna sång har blivit mycket omtyckt. En uppgift anger att den är av afrikanskt ursprung. Gruppen Bangzulu hade sången på sin repertoar och bidrog till att sprida den och göra den populär.

141 Jag skakar på händerna

(Björn Clarin, *Bästisar*, 1973) Tillsammans med Gunnel Johansson (f 1955) har Björn Clarin (f 1936) med den här svängiga dansvisan skapat en sång med discokänsla.

142 Fader Abraham

Fader Abraham har en okänd historia. Enligt en uppgift ska den vara av danskt ursprung. Detta är en sång för den uthållige. I varje vers nämns en kroppsdel, t ex en arm, som sätts i rörelse. Vid varje ny vers upprepas rörelserna från tidigare verser innan det är den nya kroppsdelens tur. Till slut är varenda lem aktiverad. Sången inbjuder till ett livfullt utspel. Fader Abraham associerar till Bibelns och gamla testamentets patriark Abraham, men någon tydligare koppling än så föreligger inte.

143 Hånki tånki

Sången lär vara av amerikanskt traditionellt ursprung. Honky tonk är i varje fall amerikansk slang för enklare bar eller danshak. Sammansättningens "honky" kommer av honk – skrik, tutande, vilket möjligen anspelar på den uppsluppna stämning som kunde råda på honky tonk-barerna. Musikaliskt är honky tonk benämningen på den spelstil som ragtimepianisterna utvecklade i dessa nöjeslokaler. Termen har sedan 1940-talet också kommit att knytas till en stil inom country-musiken, vars kännetecken bl a är ett känslofullt utspel i sången.

144 När vi gick på stan

(*Klara färdiga gå!*, 1994) Ett samarbete mellan Svenska Gymnastikförbundet och Musikrummet resulterade i ett material bestående av bok och kasett/cd. Materialet har sammanställts för barnens gympapass i förskola och skola. En illustrerad berättelse binder samman de 14 sånger som ingår. Till varje sång finns rörelseinstruktioner. Musikrummet är ett skivbolag och förlag som ger ut musik för barn. Musikrummet drivs av Peter Wanngren (f 1952) och Kerstin Andeby. De har med tiden fått en alltmer framstående ställning på barnkulturens område och gjort sig kända för sina barnvisor, bland annat sångerna om Svingelskogen i samarbete med Monica Forsberg samt *Majas Alfabetssånger*, som grundar sig på Lena Andersons illustrerade Majadikter. Peter Wanngren – musiklärare, producent – står för de arrangemang som görs i skivstudion, men han skriver också egna visor, som t ex När vi gick på stan.

145 Små grodorna
Kanske är det här den mest välkända dansleken i svensk tradition. Både runt julgranen och kring midsommarstången har den dansats av generationer. Och året runt används den fortfarande i förskolesammanhang. Trots att Små grodorna på grund av sin tradition och sin spridning i Sverige gärna betraktas som helsvensk, kan man visa att den har utländskt påbrå. Melodin har spårats till en av den franska revolutionens marschlåtar med refrängen: Au pas, camarades, au pas camarades, / au pas, au pas, au pas! (I takt, kamrater!). Det berättas att fransmännens dåtida ärkefiender, engelsmännnen, med nedsättande ironi ändrade ordalydelsen: Au pas, grenouilles! (I takt små grodor!). Melodin förekommer fortfarande i en fransk barnvisa med originalets Au pas camarades!, medan den engelska grodversionen veterligen bara finns som en rest i svensk översättning. Hur den en gång hamnade i Sverige är tills vidare obekant.

146 Tre små gummor
(Anna Maria Roos, *Fyra barn i Biskra*, 1909) Anna Maria Roos är för många vuxna förknippad med de idylliska läseböckerna *Sörgården* och *I Önnemo* (båda 1913). I likhet med Selma Lagerlöfs bok om *Nils Holgerssons underbara resa genom Sverige* skrevs böckerna för att användas som läseböcker i folkskolan. Hennes vänliga sånglek Tre små gummor sjunger man till en melodi av traditionellt ursprung.

147 Törnrosa
Dansleken Törnrosa är exempel på den typ av sånglekar som låter barnen själva gestalta en klassisk saga genom att dansa, spela, sjunga och agera. Sagan om Törnrosa publicerades första gången i en italiensk samling på 1630-talet. Den togs därefter med både i Charles Perraults franska *Gåsmors sagor* (1697) och i Bröderna Grimms sagosamlingar (1812-1815). Därefter har Törnrosa förekommit i en mängd barnböcker över hela världen och också återberättats i många visor och skillingtryck. En ofta framförd ba-

lett om Törnrosa av Tjajkovskij hade premiär 1890 i S:t Petersburg.

148 Bro bro breja
Den här visan var känd redan på 1600-talet och förekommer sedan fram till våra dagar i en mängd olika versioner. Redan på medeltiden fanns det dansvisor som illustrerade bron över vallgraven (den breda bron = bro breja) – eller stadsporten – som en gräns där man kunde bli stoppad för att ge ett eller annat besked. Den här varianten är en slags friarvisa, där man på lek tvingas säga vem man helst ville se som sin käresta, sin fästman eller sin fästmö.

148 Känner du Lotta, min vän
Som alla traditionella sånglekar går det inte att bestämma ursprunget till Känner du Lotta, min vän. Denna version är upptecknad i Närke men den populära sångleken har en mycket vidare spridning än så.

149 Så gå vi runt om ett enerissnår
Det finns många alternativa förstarader till denna sånglek. I *Sånglekar från Nääs* förekommer sången med rubriken De små tvätterskorna. I förordet till den första av de två samlingarna sånglekar som sammanställdes vid slöjdseminariet i Nääs noteras att många av sånglekarna är "rena efterhärmningar af de äldres allvarliga sysselsättningar". Författaren till förordet ser därför sånglekarna som en källa till kunskap "om gångna släktens seder och bruk".

150 Vi äro musikanter
Ursprunget till dansvisan finns antytt i texten. Skaraborg var namnet på det slott uppfört på 1500-talet söder om staden Skara som sedan fick ge namn åt Skaraborgs län. En tidig uppteckning av visan finns i *Folklekar från Västergötland* (1908-1934), utgiven av S Lampa. Sången är en härmningsvisa där deltagarna härmar de musikanter som antingen ackompanjerar dem eller som ersätts med sångens ord.

151 Viljen I veta och viljen I förstå
Vid slöjdseminariet i Nääs utvecklades från 1875 en kursverksamhet som förutom slöjdundervisning med tiden omfattade folkdanser, lekar, idrott m m. Vid 1880-talets senare hälft hade man enskilt börjat utöva sånglekar i anslutning till slöjdkurserna. Från 1895 anordnade man kurser i lek och dans sedan man startat utbildning av lekledare. Seminariets grundare Otto Salomon förespråkade leken som social träning och han menade att sånglekarna och folkdanserna var ett kulturarv värt att bevara. Vid seminariet i Nääs började man systematiskt samla sånglekar. *Sånglekar från Nääs* gavs ut i två delar 1905 och 1915.

Viljen i veta och viljen i förstå återfinns i den första delen. Sången representeras även i A I Arwidssons *Svenska Fornsånger* III (1842). Förmodligen är den nedtecknad på 1810-talet av lektorn och kyrkoherden Johan Wallman, vars handskrifter Arwidsson använt sig av. En annan variant av sången med inledningsraden "Se, vad jag haver uti min hand" finns i Carl-Herman Tillhagens och Nils Denckers *Svenska folklekar och danser* (1950).
Viljen I veta – vill ni veta
pläga – brukar

153 Flickorna de små
Texten till denna sånglek ansluter direkt till dess funktion som ringlek med flickorna i innerringen: Flickorna de små uti ringen de gå. Sångleken finns med i första delen av *Sånglekar från Nääs* (1905)

154 Skära, skära havre
Flera varianter av text och melodi till denna sånglek är kända. J A Åhlströms *Traditioner af svenska folkdanser* (I nr 36, 1815) innehåller en version i tretakt och med melodi i moll, i motsats till den här publicerade tvåtakts- och durvarianten. Skära skära havre ingår i andra delen av *Sånglekar från Nääs* (1915). I förordet till en annan utgåva, *Svenska sånglekar* (1959), utgiven av Svenska Ungdomsringen för Bygdekultur, citeras Nääs-föreståndaren Rurik Holm: "Det förhåller sig ju så, att texterna till visorna under tidens lopp genomgått allehanda förändringar". Han beskriver det som att "den ena visan 'smittat av sig' på den andra" eller att "en ny visstump fogats till den ursprungliga". Citatet belyser de förändringar som en sång som Skära skära havre genomgått.

155 Vi ska ställa till en roliger dans
Visan finns i uppteckningar av polskor och danslekar från Södermanland 1823 – 1835, utgivna av A G Rosenberg 1876. Säkert går den levande traditionen åtskilligt längre tillbaka. Visan speglar en tid då möjligheterna för unga pojkar och flickor att få träffas var långt mer begränsade än idag. Många av de s k sällskapslekarna går ut på att pojkar och flickor skulle få "sällskap", dvs komma samman parvis på ett sätt som moralen annars inte tillät eller vardagen förhindrade. I flera av danslekarna blandas ringdans med pardans på liknande sätt som i Vi ska ställa till en roliger dans.
krona och krans – som hårprydnad tecken på att vara utvald som käresta eller brud

156 Morsgrisar
Ingen kan veta hur gammal den här lilla dansvisan egentligen är. Själva ordet 'morsgris' i betydelsen 'modersbundet och bortskämt barn' finns belagt första gången 1613. Det ger en fingervisning om att visan kan vara flera hundra år gammal.

156 Och flickan hon går i dansen
Den här dansleken har närmast karaktär av friarvisa och skildrar i fem korta strofer ett kärleksdrama med förälskelse-brytning-återförening-giftermål. I en längre version fortsätter visan i ytterligare tre strofer där paret får barn. Hon sjunger : nu får jag heta mor. Han sjunger: nu får jag heta far. Visan finns i tryck först i S Lampa, *Folklekar från Västergötland* (1908-1934), men har troligen haft stor geografisk spridning under hundratals år.
skälm – skojare

158 Ritsch, ratsch, filibom
Detta är en av de mer livliga sånglekarna, vilket också understryks av uttrycket Ritsch ratsch. Sången finner man i *Sånglekar från Nääs*, 2 (1915).

159 Räven raskar över isen
I Olof Rudbeck d ä:s historiska framställning *Atlantica* (1679-1702) beskrivs denna sånglek. Enligt författaren är sångens begynnelserader "Hå, hå, Räfwen han låckar på isen". I övrigt beskrivs härmningsförfarandet så som vi känner det i dag. I Carl-Herman Tillhagens och Nils Denckers *Svenska folklekar och danser* (1950) finns en variant som inleds med orden "Räven raskar över riset".
raskar – småspringer

160 Sju vackra flickor
En av flera gamla danslekar som går ut på att man med början i den allmänna ringdansen lät pojkar och flickor komma samman två och två i pardans. Sjutalet är ett s k heligt tal som är mycket respekterat i den kristna traditionen. Så ansågs t ex dygderna vara sju till antalet, liksom lasterna.

161 Karusellen
Visan är en av de många som kommit att bevaras genom de uppteckningar som gjordes vid slöjdlärarseminariet på Nääs söder om Alingsås i början på 1900-talet. På Nääs utbildades inte bara slöjdlärare utan också småskollärare och lekledare. Verksamheten på Nääs blev bl a känd för att lek- och danstraditionerna här bevarades och utvecklades både i undervisningen och i umgänget mellan kursdeltagarna. Sång och dans var en viktig del av den s k Nääspedagogiken. Till lekentusiasterna på Nääs hörde Otto Hellgren och Rurik Holm som samlade in och ef-

terhand gav ut noter och texter med lek- och dansin-
struktioner till sånglekar och danslekar som tidigare bara
funnits i muntlig tradition. Det första häftet med *Sångle-
kar från Nääs* kom ut 1905. Karusellen finns upptagen i
det andra häftet från 1915.

jungfru skär – en ren jungfru, en kvinna som inte varit
tillsammans med någon man

Hemma i världen

164 Mitt eget land
(Olle Adolphson, *Trubbel*, 1964) Visan är ett resultat av
samarbetet mellan Beppe Wolgers (1928-1986) och Olle
Adolphson (f 1934). I mitten på 50-talet producerade de
tillsammans nyskrivet material till Lulu Zieglers kabaré
på krogen Hamburger börs. Med sin anspelning på det
kalla kriget mellan USA och Sovjet och med sin vision av
framtida rymdfärder är Mitt eget land naturligtvis präg-
lad av sin tid. Men den formulerar också en tidlös, kos-
mopolitisk dröm om en värld där alla bor i samma land
och där alla kan räcka varandra handen som du och jag.
terrorbalans – den strategiska jämvikt som rådde mellan
  stormakterna under "det kalla kriget" och som gick ut
  på att båda sidor hade en sådan mängd förintelseva-
  pen att ett eventuellt krig måste leda till att bådas ter-
  ritorier förstördes

166 Broder Jakob
Både melodi och text har franskt ursprung. Musiken har
spårats till en manuskriptsamling med vaudevillemelodi-
er i Bibliothèque Nationale i Paris, daterad till 1775-1785.
Melodin har där rubriken "Frère Blaise (canon)". 1811
finns melodin belagd i tryck som Frère Jacques, men det
är först 1860 som den text dyker upp som vi nu förknip-
par med melodin. Frère Jacques åsyftar säkert ursprungli-
gen en slumrande klosterbroder som kallas till morgon-
bönen, ottesången, av den klämtande klosterklockan.
Genom översättningar till en mängd olika språk, inklusi-
ve allehanda fantasispråk, har Broder Jakob blivit en av
de mest kända och sjungna visorna i världen. På de flesta
språk används olika former av namnet Jakob. I de eng-
elskspråkiga delarna av världen kallas han John, också det
ett bibliskt namn. Broder Jakob lämpar sig väl för att
sjungas i kanon.

167 Lincolnvisan
Mordet på den amerikanske presidenten Abraham Lin-
coln den 15 april 1865 var på sin tid en lika omvälvande
händelse som mordet på John F Kennedy nästan precis
hundra år senare. Lincoln blev skjuten med ett pistol-
skott i huvudet av en sydstatsanhängare i sin teaterloge,
när han bevistade en festföreställning på Fords teater i
Washington. Någon månad senare hade studenterna i
Lund sin karneval. Bland karnevalstågets aktualiteter
fanns presidentmordet med i form av ett plakat med pre-
sidentens porträtt och en positivhalare som sjöng den
nyskrivna Lincolnvisan. Visans författare, Hans Henrik
Hallbäck (1835-1885), var en lundaakademiker som sede-
mera blev docent i estetik. Tilltaget att skoja med den
tragiska händelsen uppmärksammades i pressen och
väckte anstöt på sina håll. Men vistexten blev bestående
fast till en annan melodi än den ursprungliga. Riktigt
populär blev Hallbäcks studentikosa skillingtrycksparodi
till Stephen Fosters (1826-1864) slagdänga Oh Susanna,
som gjorts känd i Sverige genom bondkomikern Lars
Bondeson (1865-1904).
kungen av nordliga Amerika – president Lincoln (1809-
  1865)
komedianterna - komediskådespelare
saffian – extra fin skinnsort
hiskeligt – förfärligt
geväder – gevär
planeten – ansiktet, huvudet
Va befalls – förvånat utrop, ung. Vad i all världen
balsamir – läkande salva
beskedlige – snälle
hin onde – djävulen

169 I en sal på lasarettet
Den sorgliga visan om den sjuka flickan är av okänt ur-
sprung men förmodas ha tillkommit runt sekelskiftet
1900. Enligt visforskaren Eva Danielsson har flera källor
uppgett att den har skrivits av en sköterska eller en läkare
på det sjukhus där flickan vårdades. Andra uppgiftsläm-
nare har hävdat att flickan har varit en släkting till dem.
Sången förekommer i Sverige, Norge och Danmark. Den
har spridits muntligt. Först under 1900-talets senare hälft
har den blivit tryckt. Sången påminner om visorna i den
sena skillingtryckstraditionen, som ibland kännetecknas
av ett tydligt inslag av sentimentalitet.
slumrar uti mullen – vilar i sin grav
snövit skrud – vit svepning

170 Möte i monsunen
(Evert Taube, *Till Flottans män*, 1935; *Ultra marin*, 1936)
Visan är en s k sjömansballad – en berättelse om ett sjö-
mansäventyr. Den knyter an till en tradition av sjömans-
visor av skillingtryckstyp, som skildrar hiskliga händelser
i främmande land. Enligt vad Taube berättat i *Jag kom-
mer av ett brusand' hav* (1952) fann han uppslaget till his-
torien – det märkliga mötet mellan landsmän till havs –
redan i en av de historier som han hört sin far berätta i
barndomshemmet ute på Vinga. Episoderna i historien

lär åtminstone till en del vara autentiska: "Allt har sin givna motsvarighet i verkliga händelser". Visans huvudperson, Fritiof Andersson, är en återkommande centralfigur i Taubes visor, en svensk sjöman med sinne för äventyr och poesi. Också han har funnits i verkligheten. Taube lär ha mött honom i London 1910, där de tog hyra tillsammans som matroser på samma båt till Sydamerika. Så småningom blev Fritiof författarens alter ego: "I mina visor sammanblandar jag Fritiof Anderssons egna berättelser med våra gemensamma upplevelser, och söker därvid att rätta mig efter poesiens lagar, dock utan att undertrycka dess friheter." Till verklighetsunderlaget i Möte i monsunen hör också den hjälpsamme konsuln, kapten Fredrik Adelborg, som faktiskt var en legendarisk svensk konsul i Singapore 1928-1934, gift med Elisabet Gyllenstierna, hon som omtalas som "det sötaste jag dittills hade sett". Taube träffade aldrig paret Adelborg i Singapore men väl i Stockholm, på Den Gyldene Freden och andra lokaler. Som så ofta anknyter också Taubes melodi till bestämda förlagor; i Möte i monsunen har man hört återklanger av ett par gamla visor om äventyr på havet, dels folkvisan Herr Peders sjöresa från 1600-talet, dels en sjömansvisa av betydligt yngre datum, Skeppet Bernadotte.

monsun – en tropisk, ihållande vind
fullriggare - flermastat segelfartyg med rär på alla master
Good Hope – Godahoppsudden, Afrikas sydspets
gaffelnock – toppen på en segelmast som har formen av en gaffel
preja - anropa och tvinga fartyg att stanna
babord – vänstersidan av fartyg
lejdare – repstege
röstet – utbyggnad från sidan på segelfartyg
passad – en tropisk vind som blåser snett in mot ekvatorn
held up – utsatt för rån
Shanghai – beryktad kinesisk hamnstad
guldgaloner – uniformsband i guldfärgad tråd
Singapore – stor hamnstad utanför Malackahalvöns sydspets
Gula floden – Kinas näst största flod som färgas gul av slam
jam – sylt, marmelad
steamer – ångfartyg
Siam - Thailand
Hagenbecks – djurpark i Hamburg
cyklon – virvelstorm
karbin – en typ av kort och lätt gevär
Nemesis – hämnd- och ödesgudinna som utjämnar lycka med olycka
Camarin på Malabar – kuststad på södra delen av Indiska halvöns västkust
brassa för fyllning – vrida rårna på segelfartyg för att få

vind i seglen
Rolling home ... – fras ur engelsk sjömansvisa: nu rullar vi på vågorna hemåt över havet
flying jib, röjlar, mesan – olika typer av segel

172 Oxdragarsång
(Evert Taube, *Svärmerier*, 1946) Efter 30 år återvände Taube 1945 till sin ungdoms Argentina för att återuppleva platser och landskap som gett miljö och stoff till både visor och prosaberättelser. Oxdragarsång tillkom i samband med denna återseendets resa till Sydamerika. Sången är en slags arbetsvisa, sjungen av kusken för att mana på sin dragdjur.
Santa Cruz – provins i södra Argentina
Pampas – slättland i Argentina

174 Pepita dansar
(Evert Taube, *Pepita dansar*, 1950) Visan skrevs under en resa till Panama 1948-49. I prosaboken *I najadernas gränd* (1954) har Taube berättat om visans bakgrund, som man naturligtvis inte ska förväxla med hur det verkligen förhöll sig. Diktaren presenterar där Pepita som en sextonårig indianska – Pepita Rosa Inés de la Mar – som foralskade sig i en vit man, Don Fernando och sedan blev övergiven. För att försörja sig hamnade hon på ett glädjehus i Panama där hon dansade och sjöng för sin publik. Taube berättar vidare: "Jag kände Don Fernando rätt väl. Han var en rik ung man från Valle del Indio, odlare av kaffe, socker, bananer och erotik. Jag beslöt att skriva en dansvisa, en tamborito, till Pepita, och låta henne sjunga den för Don Fernando som inte hade en aning om var hon fanns. När jag en vacker afton bjöd Don Fernando på supé på Las Bonitas kunde han både läsa i programhäftet och se och höra: Pepita dansar Tamborito i Panamá." Taube lanserade visan och dansen tamborito vid en presskonferens i sitt hem på Grevturegatan i Stockholm den 26 april 1949. Taube hade vid det laget storslagna planer på att dels göra en film, dels skriva en roman med Pepita-temat i centrum.
tamborito – en kreolsk dans besläktad med samba och rumba

175 Änglamark
Visan skrevs 1971 till Hasse Alfredsons och Tage Danielssons film *Äppelkriget*, där Evert Taube medverkade tillsammans med sin hustru Astri. Visan är det vackraste lyriska uttrycket för hans mångåriga engagemang i miljöfrågor. Visans titel och första rad anspelar på en äldre Taubevisa, Himlajord från 1938, där diktaren också gav ord åt tanken att vår natur är en himmelsk gåva att skydda och bevara, glädjas åt och njuta av.

177 **I natt jag drömde**
(Cornelis Vreeswijk, *Visor och oförskämdheter*, 1965) Den
engelska originaltiteln är Last night I had the strangest
dream. Sången skrevs redan 1950 av den kanadensiske
folksångaren Ed McCurdy (f 1916). På 1960-talet blev vi-
san den amerikanska fredsrörelsens inofficiella hymn.
Den spreds snabbt över världen, inte minst genom att ar-
tister som Joan Baez, Peter, Paul and Mary och Simon
and Garfunkel tog upp den på sin repertoar. Cornelis
Vreeswijk (1937-1987) översatte sången, gjorde den riks-
känd genom den berömda turnén tillsammans med Ann-
Louise Hansson och Fred Åkerström 1964, som resultera-
de i albumet *Visor och oförskämdheter* (1965).
konvolut – mapp med handlingar

178 **Jag hade en gång en båt**
Sången är av amerikanskt traditionellt ursprung. Origi-
naltiteln är Sloop John B. Den fick allmän spridning ge-
nom The Beach Boys insjungning på albumet *Pet Sounds*
(1966). Cornelis Vreeswijk gjorde en svensk tolkning,
som innehållsmässigt skiljer sig markant från originalet.
Den svenska texten har givits en desillusionens prägel,
där jaget i sången frågar sig var det som en gång var nu
har tagit vägen. Tidstypiskt är också fredsbudskapet.
ruff – kajuta
köl – fena på båtens undersida

179 **Brev från kolonien**
(Cornelis Vreeswijk, *Visor och oförskämdheter*, 1965) Den
amerikanske komikern Alan Sherman (1924-1973) gjorde
stor succé med Helloh Mudduh, Hello Fadduh. Musiken
hämtade han från ett balettparti ur operan *La Gioconda*
av den italienska kompositören Amilcare Ponchielli
(1834-1886). Vreeswijk gjorde en svensk version av sången
och tog upp den på sin repertoar, när han turnerade till-
sammans med Ann-Louise Hansson och Fred Åkerström
1964. Turnén som kallades *Visor och Oförskämdheter* re-
sulterade i en vissamling med samma titel året därpå.
Brev från kolonien blev Vreeswijks genombrott.

180 **Turistens klagan**
(Cornelis Vreeswijk, *Till Fatumeh. Visor sjungna och
osjungna*, 1987) Turistens klagan kom på skiva 1978 i al-
bumet *Felicias svenska suite*. Inspelningen blev en stor
succé inte minst tack vare den trallande barnkören och de
oemotståndliga, bubblande barnskratten som ackompan-
jerade Cornelis sång. Arrangemanget framhävde starkt
textens kontrast mellan den melankoliske vissångaren,
inhyst på sitt hotellrum i en främmande storstad, och de
glada barnen därutanför, sjungande "som bara ungar
kan". Melodin låter sig gärna upprepas som trallande re-
fräng mellan stroferna.

Karl Johan – promenad- och paradgata i Oslo
barrikaden – försvarsmur
en kolsvart gam – en symbol för poetens dystra tankar
stor sak däri – strunt i det
Viken – en mytisk ort som återkommer i Cornelis texter
  som platsen där det goda livet levs

181 **Hej hå**
(*Disneysångboken*, 1993) Som barn såg Walt Disney en
stumfilm om *Snövit och de sju dvärgarna*. Han blev myck-
et gripen, och har senare hävdat att stumfilmen var upp-
rinnelsen till beslutet att själv göra en film på samma
tema. *Snow White and the Seven Dwarfes* hade premiär
1937. Stoffet bygger på en av *Bröderna Grimms sagor*.
Snövit var den första animerade långfilmen som Disney
gjorde, och ur ekonomisk synpunkt betraktades satsning-
en på sin tid som mycket djärv. Musiken är av Frank E
Churchill (1901-1942) som tidigare svarat för musikinsla-
gen i Disneys kortfilm *Tre små grisar*. För de engelska
sångtexterna stod Larry Morey. Inför den svenska premi-
ären 1938 dubbades filmen. Översättningen gjordes av
Karl-Lennart (pseud för Lennart Reuterskiöld, 1898-
1986). Dvärgarnas kör Hej hå (Heigh Ho) sjöngs av Wig-
gerskvartetten.

183 **En tokig sång**
(*Disneysångboken*, 1993) För den svenska versionen av
Snövit och de sju dvärgarna (1938) engagerades några av
tidens främsta skådespelare som lånade sina röster till de
olika karaktärerna. 1982 skedde en reprispremiär. Inför
denna hade filmen moderniserats, musiken hade spelats
in på nytt och en ny dubbning hade gjorts. En tokig sång
känner alla svenskar igen, eftersom den ingår i julafton-
ens TV-hälsning från Disney och några av de mest be-
römda långfilmsfigurerna. I filmen tar Blyger mod till sig
och sjunger sången. I versionen från 1938 tillhörde Blyg-
ers röst skådespelaren Nils Hultgren. Nypremiärens Bly-
ger (1982) framställdes av Mille Schmidt. Musikens och
textens upphovsmän är Frank E Churchill (1901-1942)
respektive Larry Morey. Den svenska textversionen har
Bernt Dahlbäck (1939-1978) svarat för.

184 **Bibbidi bobbidi boo**
(*Disneysångboken*, 1993) *Askungen* (*Cinderella*) var den
sjätte Disneyanimationen av långfilmsformat. Askungen
är ett uråldrigt europeiskt-orientaliskt sagomotiv. Den
franske författaren Perrault hade med sagan i *Gåsmors sa-
gor* (1697) och bröderna Grimm upptecknade sagan på
tyskspråkigt område. Askungesagan har dessutom utgjort
underlaget till både opera och balett, av Rossini respekti-
ve Prokofjev. Disneys film hade premiär 1949. Musiken
Oscar-nominerades, i någon mån tack vare den goda

feens musikaliska trollformel: Bibbidi bibbidi boo. I den svenska ljudversionen var det Sif Ruud som lånade sin röst till feen och Alice Babs gestaltade Askungen. Musiken är av Mack David och Al Hoffman, texten av Jerry Livingston . Den svenska texten har Karl -Lennart (pseud för Lennart Reuterskiöld, 1898-1996) och Gardar Sahlberg (1908-1983) svarat för.

185 Apans sång

(*Disneysångboken*, 1993) Filmen *Djungelboken* (1967) bygger på Rudyard Kiplings roman *The Jungle Book* (del I 1894, del II 1895). Filmen om människobarnet Mowgli, björnen Baloo, apkungen Louis och de andra djungelinvånarna blev en omedelbar succé. Detta var den sista film som Walt Disney var med om att producera. Filmens framgång berodde inte minst på den glad-jazzpräglade musiken av Richard M Sherman och Robert M Sherman som också skrev sångtexterna. Bröderna Sherman har även svarat för musiken till filmen Mary Poppins med Julie Andrews i huvudrollen. Martin Söderhjelm (1913-1991) har översatt till svenska. Bakom de olika djurens svensktalande röster döljer sig bl a Beppe Wolgers (Baloo) men med sång av Roffe Bengtsson, Gösta Prüzelius (Bagheera) och Olof Thunberg (Shere Khan). Apans sång framförs i filmen av Leppe Sundewall (Louis).

187 Alla snubbar vill ju vara katt

(*Disneysångboken*, 1993) Efter Walt Disneys bortgång 1966 fortsatte hans väldiga nöjeskoncern att producera barnunderhållning. Nästa tecknade långfilm, *Aristocats*, hade premiär 1970. I originalversionen sjungs titelsången av självaste Maurice Chevalier, som med detta uppdrag gjorde ett tillfälligt avbrott i sin påbörjade pensionstillvaro. Musiken är skriven av Al Rinker och den engelska originaltexten av Floyd Huddleston. För den svenska översättningen har Doreen Denning (f 1928) stått. Denning var verksam som skådespelerska, sedermera TV-producent och dubbningsregissör. *Aristocats* var hennes första dubbningsuppdrag. Här instruerade hon bl a Margareta Sjödin och Per Myrberg som var huvudrollsinnehavare. Liksom musiken till *Djungelboken* har musiken till *Aristocats* en omisskännlig tradjazz-karaktär.

snubbar – killar
katt för sin hatt – anspelning på uttrycket karl för sin hatt, dvs en *riktig* karl
corny – knepig
digga – lyssna på, tycka om
gigs – spelning, här musikstycke

189 Oo-de-lally

(*Disneysångboken*, 1993) Sången Oo-de-lally har Roger Miller (f 1936) som upphovsman. Han har gjort sig känd som countrysångare, entertainer och låtskrivare med flera internationella hits, bl a King of the road. Det är således inte konstigt att musiken till filmen *Robin Hood* (1973) har en tydlig country and western-prägel, vilket inte hindrar att historien utspelas i England vid tiden för Kung Richards korståg till det heliga landet. Robin Hoods historiska bakgrund är höljd i dunkel. Han nämns i flera medeltida krönikor och många ballader skrevs om honom. Någon slags verklighetsgrund tror man finns, men det går inte att knyta hans namn till någon bestämd person, tid eller plats i medeltidens England. Sherwoodskogens ädle rövare, som tar från de rika och ger till de fattiga, har gett upphov till många andra filmproduktioner genom åren. För översättning och dubbning till svenska har Doreen Denning (f 1928) svarat.

sheriffen – Robin Hoods fiende, Sheriffen av Nottingham

190 Du och jag

Kerstin Pålsson (f 1945) lanserade sin visa i samband med en skiva och ett sånghäfte för barn som kallades *Hejsan* (1970). På inspelningen sjöng hon tillsammans med den då 7-årige Johan Nordqvist. Texten har ett budskap som är ständigt aktuellt för att befrämja förståelsen mellan barn med olika kulturell bakgrund, olika språk eller olika hudfärg. Barnen tycks ju bättre än de vuxna kunna förstå att gemenskapen människor emellan och den fredliga samvaron måste bygga på insikten om att vi i grunden alla är lika.

191 Du är min bästa kompis

(*Låtar som tänder*, 1987) Birger Nilsson (f 1945) lanserade visan tillsammans med sin hustru Katarina Gren (f 1953) i *Låtar som tänder*, en sångbok och en skiva som fått stor spridning. Birger Nilsson och Katarina Gren är verksamma som lärarutbildare i musik vid Göteborgs universitet. Den amerikanska förlagan, som dök upp i en skolsångbok, har titeln Best friends. Upphovsmännen är C Ravosa och M Jones. Texten bygger på en retorisk formel som ofta använts i sångsammanhang, det så kallade "irreala fallet": en "om"-sats, en villkorsbisats, framställer något alldeles overkligt och följs därefter av en huvudsats som anger konsekvenserna, om det som utsagts i "om"-satsen verkligen hade varit fallet.

vore – skulle vara

192 Bangzulusång

Barnunderhållningsgruppen Bangzulu existerade mellan 1991 och 1999. Mats Bengtsson (1954-1999) och Mats Andersson (f 1954) tog initiativet till att uppmuntra förskollärare och barnskötare vid förskolorna i Malmö att spela och musicera mer med barnen. De avverkade 60-70 förskolor och projektet avslutades med en stor konsert och inspelningen av ett kassettband. Så föddes Bangzulu. Med åren växte gruppen och dess rykte. Turnéer och skivinspelningar följde. Mats Bengtsson var drivkraften i bandet och den som skrev sagorna. Med en högt driven känslighet för vad barnen tog till sig använde han det som material för sånger och sagor. För den med tiden allt större barnpubliken var han känd som ordningsmannen Ove. Bandets övriga medlemmar var Sure Kåre (Micke Hansen), Pigan (Viktoria Reimer) och Österrikaren (Anders Johansson). Bangzulusång finns med på de flesta av gruppens fem cd-skivor. Sången är skriven av Mats Bengtsson och Mats Andersson.

vegetarisk – av vegetarian, en som inte äter kött
kannibal – en som äter människokött

193 Sträck ut din hand

(*Lasse Berghagens bästa*, 1995) Lasse Berghagen (f 1945) tillhör våra mest mångsidiga artister i rollen som sångare, visdiktare och skådespelare. I hans egen produktion av vistexter finns en humanistisk och idealistisk grundhållning, ofta förmedlad i enkla ord och melodier som får alla att sjunga med. Sträck ut din hand är en sång som ofta hörts i TV:s *Allsång på Skansen*, vars populäre programledare Lasse Berghagen varit sedan sommaren 1994.

194 David och Goljat

(Bertil Hallin, *Titta vad jag fann!*, 1967) Texten till visan är skriven av Britt G Hallqvist (1914-1997), översättare och författare, bl a av verser för barn. Musiken är av Bertil Hallin (f 1931), kompositör, lektor i musikmetodik, utgivare av sångböcker. Genom åren har han utbildat generationer av blivande musiklärare vid Malmö Musikhögskola. Han har skrivit musiken till flera kyrkospel. Hallin har gett ut ett antal betydande sångantologier för förskole- och skolbruk, t ex *Barnvisboken* (1977, tillsammans med Lisa Hallberg), *Sångboken* (1984) och *Lilla Sångboken* (1986), båda tillsammans med Håkan Lundström och Sverker Svensson. I hela hans verksamhet noteras ett tydligt engagemang i tidens etiska frågor, något som tagit sig uttryck i kompositionen till *Miljövesper* (1969) och i sångantologin *Fred Frid Frihet*. David och Goliat ingår i en samling barnvisor med motiv från gamla testamentet. Samarbetet mellan Hallin och Hallqvist utgick alltid från Hallqvists texter. Hallin läste dem, lärde dem utantill och ganska snart mognade en passande melodi fram. Sången utgår från Bibelns berättelse om den välrustade och jättelike krigaren Goljat som dödades av den späde ynglingen David med en sten från dennes slunga (1 Sam. 17). David blev Israels andre kung och regerade ca 1005-965 f Kr.

Saul – Israels förste kung
filistéer – folkgrupp som var i krig med israeliterna

195 Titta vad jag fann

(Bertil Hallin, *Titta vad jag fann!*, 1967) Titelmelodin till Bertil Hallins sångsamling med tonsättningar av Britt G Hallqvists dikter har motiv från gamla testamentet. Titeln syftar på vad Faraos dotter utropade sedan hon funnit spädbarnet Moses i vassen vid Nilens strand. Historien går tillbaka på Andra Mosebokens andra kapitel. Sångsamlingen bildade grund för en serie korta TV-program om en familj bestående av en mamma och hennes två döttrar. Mamman berättade för barnen om bibelhistorierna. Flickorna spelades av Bertil Hallins båda döttrar, mamman av skådespelerskan Birgitta Hellerstedt Thorin, en av förgrundsgestalterna inom svensk kyrkospelstradition.

196 Vi sätter oss i ringen

(psalm 608 i *Den svenska psalmboken*) Margareta Melin (f 1935) har skrivit en lång rad fina poetiska texter om mänsklig gemenskap med en kristen livshållning. Av hennes många barnpsalmer har Vi sätter oss i ringen nått ut i vida kretsar. Den tillkom 1969 och skrevs ursprungligen för kyrkans barntimmar. Stor spridning fick den på 70-talet, då den dels kom på skivan *Vi sätter oss i ringen*, dels fanns upptryckt på en plansch av konstnärinnan Ilon Wikland med barn från olika delar av världen sittande i ring. För musiken svarar Lars Åke Lundberg (f 1935), präst i Stockholm och känd förkunnare med stort engagemang för barn.

197 Tryggare kan ingen vara

(psalm 248 i *Den svenska psalmboken*) Detta är den i särklass mest sjungna barnpsalmen. Den trycktes första gången i *Andeliga daggdroppar*, som författarinnan Lina Sandell-Berg gav ut anonymt 1855. Uppslaget till dikten ska hon ha fått när hon som barn, uppkrupen i ett träd, såg fåglarnas väl dolda bon ("trygga nästet"). Psalmen har en lätt melodi, troligen av tyskt folkligt ursprung. En rad positivt laddade ord (trygg, lycka, vän, gläd dig) har nog bidragit till att många barnasinnen känt sig berörda av psalmen, trots att texten bitvis kan tyckas svår att förstå för ett barn.

Sion – beteckning för Guds församling
helga – heliga
förbarmar – skyddar
Jakobs Gud – om Jakob, Abrahams son, berättas det i Bibeln

198 **Du gamla, du fria**
(Tryckt första gången i J N Ahlströms och P C Bomans *Valda svenska folksånger, folkdanser och folklekar*, 1845) Richard Dybeck (1811-1877), jurist och fornforskare, skrev dikten till en västmanländsk folkmelodi. Snarlika melodivarianter har man funnit i Finland och Tyskland. Sången framfördes första gången vid en "aftonunderhållning" i Stockholm den 18 november 1844. Dybeck själv menade att "de högst medelmåttiga orden" inte var avsedda att spridas i tryck. I konsertsammanhang kallades den vanligen för "Sång till Norden" med inledningsorden Du gamla, du friska. Den arrangerades oftast för solostämma och kör. 1858 ändrade Dybeck "du friska" till "du fria". Vid sekelskiftet började Du gamla du fria användas som nationell patriotisk hymn. Men sången har faktiskt aldrig fått officiell status av svensk nationalsång.

vänaste – vackraste
ängder – trakter
från fornstora dar – från den tiden då landet var stort och mäktigt

Gladsång och poplåt

202 Josefin
Josefin spelades in på grammofon redan 1911 med bondkomikern Calle Lindström (1868-1955), den förste svenske komiker som finns bevarad på skiva. På konvolutet anges att visans melodi är traditionell med text av en av Lindströms vänner och kolleger i bondkomikerbranschen, Skånska Lasse. Bakom pseudonymen Skånska Lasse dolde sig Theodor Larsson (1880-1937). Skånska Lasse anges som upphovsman till både text och musik i sonen Rolf Larssons *20 roliga visor av Skånska Lasse*, (1975). Med sina refrängartade upprepningseffekter är visan om Josefin typisk för en del av sekelskiftets slagdängor, ofta framförda av sådana kringresande artister som Calle Lindström och Skånska Lasse.

bjödna – bjöd henne
ballast – reservlast, belastning
trampar symaskin – äldre symaskiner drevs med en trampa

203 Spel-Olles gånglåt
Texten är skriven av Kerstin Hed som var pseudonym för Hilda Olsson (1890-1961), lantbrukarhustru och poet hemmahörande i Hedemora. Ursprungligen är Spel-Olles gånglåt en dikt publicerad i *Arv* (1923), en av Kerstin Heds många diktsamlingar. Melodin skrevs av Daniel Grufman (1878-1944), jägmästare i Falun. Visan blev känd på 30-talet genom Allsång på Skansen, där sångledaren Sven Lilja hade den på den stående repertoaren.

Den sjöngs in på skiva första gången 1943 av Olle Nygren. 1964 återkom den i poppigare tappning med Trio me' Bumba och placerade sig på Svensktoppen.
fejla – fiol
min följesven – den som följer vid min sida
klinge därför visan – må därför visan klinga
Kommen – kom
I unga – ni unga
hugsvalar – skyddar
hågen – sinnet

205 Sill i dill
Denna visa förutsätter att man känner till de sånger och företeelser som på ett skämtsamt sätt här satts samman. Framförandet bygger på upprepning; en försångare sjunger före och övriga upprepar. Melodin är traditionell. Texten är skriven av Birgitta Nordström (1943).

206 I Medelhavet
Denna humoristiska sång grundas på barnens förtjusning i att härma och att karakterisera skillnader mellan olika språk. Texterna på låtsasengelska, -tyska och -norska bygger till en del på ord och sammansättningar från respektive språk, och de lite större barnen kan identifiera – och skratta åt – tokiga uttryck och konstruktioner. Den låtsasryska texten däremot är enbart sammansatt av svenska ord som "förryskats" med ändelsen -ski. Ursprunget till sången är okänt.

207 Hemma på vår gård
Melodin är känd under titeln Polkan går. Den upptecknades och bearbetades av Robert Ryberg och Pierre Nymar 1925 och lanserades då med Martin Nilsson som sångare, på sin tid en uppburen visartist hos Ernst Rolf. I sin ursprungliga tappning hade sången en helt annan text än den som senare kom att spridas i folkmun och ibland kallas Den gamla Forden.

207 Spöket Huckehajen
Sången om det stackars spöket Huckehajen, som inte lyckades skrämma någon, gjordes 1989 av Mats Bengtsson (1954-1999) i samarbete med barn från Erikstorps fritidshem i Malmö. Mats Bengtsson var förgrundsgestalt i gruppen Bangzulu, där han var känd bland barnen som ordningsmannen Ove.

208 Tidigt varje morgon
(*Sjunga gunga. Idébok från musikhandledarna*, utg. av Eva Johansson, 1987) Text och melodi till denna kanon skrev Jan Christer Svensson (f 1954) när han gick en utbildning för musikhandledare. Sången har sedan spridits på olika sätt innan den 1987 publicerades i *Sjunga gunga*.

209 Mellanmål

(*Klara färdiga gå!*, 1994) Monica Forsberg (f 1950), Kerstin Andeby (f 1952) och Peter Wanngren (1952) hör alla hemma i Värmland. Monica Forsberg, som svarat för texten, är mångsidigt verksam inom barnkulturen men har också skrivit sångtexter för en vuxen populärmusikpublik. Hon har i olika projekt samarbetat med Kerstin Andeby och Peter Wanngren, som skrivit musiken till Mellanmål. Andeby och Wanngren skriver, arrangerar och producerar musik. Dessutom förmedlar de noter, kassettband och cd-skivor genom det egna skivbolaget Musikrummet i Karlstad. Mellanmål skrevs från början för familjemusikalen *Svingelskogen* och ingick sedan i ett material bestående av bok och cd-skiva som Musikrummet gjorde i samarbete med Svenska Gymnastikförbundet. Ändamålet var att skapa ett tidsenligt material som kombinerar rörelse, lek, saga och sång för förskolans och skolans gympapass. De 14 sångerna som ingår är av olika karaktär – somliga med högt tempo, andra långsammare. På så vis skapar de en väl avvägd helhet för ett gymnastikpass. Sångerna sammanbinds av en berättelse. Mellanmål fungerar även utan rörelser, dvs som sång enbart.

211 Klara, färdiga gå

(*Klara färdiga gå!*, 1994) Ett högt tempo kännetecknar denna sång, som har tydliga influenser från pop- och rockmusik. Texten är skriven av Kerstin Andeby, och den utmärker sig genom sin charmfulla katalog av namn. Musiken har Kerstin Andeby och Peter Wanngren gjort tillsammans. Sången är hämtad från ett gympa-material som Svenska Gymnastikförbundet och Musikrummet gjort i samarbete. Musikrummet är namnet på det produktionsbolag för barnmusik som makarna driver.

212 Äppelmelodin

Per Douhan (f 1950) skrev ursprungligen den här låten med en engelsk titel, Apple melody. Tillsammans med Lollo Asplund (f 1950) gjorde han sedan en version med svensk text. Sången fanns med på Asplunds skiva från 1983, *Äppelmelodier och lurendrejerier*.

213 Vi cyklar runt i världen

Nationalteatern var en fri teatergrupp med förankring i Göteborg. Ensemblen gjorde sig känd på 70-talet för sina uppsättningar för en ung publik. Nationalteatern profilerade sig också med eget rockband med Ulf Dageby (f 1944) som musikalisk ledare, sångare och kompositör. Han ledde flera produktioner för barn och nådde den stora barnpubliken 1976 med skivan *Kåldomar och kalsipper*, där Vi cyklar runt i världen finns med.

Veskafors – västgötska för Viskafors, ett samhälle vid Viskan nära Borås

214 Yllevisan

Yllevisan av Anders Melander (f 1948) ingick i barnpjäsen *Akta er för lumor* som sattes upp av den fria teatergruppen Nationalteatern 1970. Sången förekommer i början av pjäsen. Strax innan det lilla Yllet blir bortrövat sjunger hon visan om sig själv. Den gången spelades Yllet av sexåriga Susanna Edwards, sedermera filmregissör. Yllevisan finns med på Nationalteaterns dubbelalbum *Kåldolmar och kalsipper* och sjungs där av Anki Rahlskog, som många år senare blev känd för TV-publiken som Gudrun med triangeln i damorkestern hos Kurt Olsson. Senare har även Mora Träsk gjort en insjungning. Yllevisan har fått inofficiell spridning i utlandet. Versioner på engelska, hebreiska och spanska (Cuba) lär förekomma.

bystan – landet

216 Macken

Galenskaparnas TV-serie *Macken* började sändas 1986. Programmet om Roy och Roger blev så omtyckt att det också gav upphov till en långfilm några år senare. *Macken* utgjorde riksgenombrottet för Galenskaparna, som redan hade gjort sig kända i Göteborg. Ursprunget till Macken finns i en sketch i revyn *Träsmak*. Titelsången har Claes Eriksson (f 1950) som upphovsman.

217 En rullande pantarmaskin

Lasse och Morgan är en duo som i mitten på 90-talet etablerade sig i branschen för barnunderhållning med TV-program som *Tippen* och *Lasses och Morgans sopshow*. Skådespelarna Lasse Beischer och Morgan Alling agerade i dessa program som skojiga och miljömedvetna sopgubbar, som bl a lärde ut hur man sopsorterar. En rullande pantarmaskin återfinns på *Lasses och Morgans sopresa* (1997), en cd som belönades med en Grammis. Låtarna på denna cd uttrycker popens och rockens tonspråk och utgör ett alternativ till barnmusikens mer konventionella och stillsamma alster. Mikael Albertsson (f 1966), musiker och låtskrivare, har gjort både text och musik.

219 Änglahund

Hasse Andersson (f 1948) etablerade sig med Kvinnaböske band i den svenska underhållningsbranschen i början på 80-talet, sedan han brutit upp från tillvaron som jordbrukare på sin gård i Kvinnaböske på Bjärehalvön utanför Båstad. Det stora genombrottet i folkparker och på skiva kom med låten Änglahund 1983. Det berättas att sången togs upp till behandling vid ett biskopsmöte, där de kyrkliga ledarna uttryckte sin förundran över att en världslig visa om livet efter detta kunde entusiasmera tusentals lyssnare, medan prästerna i kyrkan hade så svårt att få folk att engagera sig i den fråga som sången formulerar.

221 Ooa hela natten

Vintern 1980-81 hade gruppen Attack en stor hit med Ooa hela natten. Låten hade kommit till som ett humoristiskt infall. Med en trummaskin som bakgrund improviserades och lektes den fram på en ganska kort stund av Björn Uhr (f 1956) och Lars-Åke Eriksson (f 1953). Gruppen Attack med sångerskan Rosa Körberg upplöstes men har återuppstått med sin ursprungsbesättning flera gånger. Ooa hela natten har aldrig släppt greppet om sin publik. Vid flera tillfällen har den fått förnyad popularitet, bl a hos en yngre publik genom att sången ingår i cd-serien Smurfhits.

223 Trettifyran

Det var skådespelaren Per Myrberg som gjorde Trettifyran till en klassisk schlagerlåt. Sången lanserades 1963 som en humoristisk protest mot den rivnings- och nybyggnadshysteri som gick fram över de svenska städerna på 60-talet. Med sina sammanlagt 40 veckor var Trettifyran länge rekordhållare på Svensktoppen. Den amerikanska originaltiteln är This ol' house och skrevs 1954 av Stuart Hamblen (1908-1989). För den svenska texten svarar Olle Adolphson (f 1934).

225 Jag vill ha en egen måne

Bröderna Ted (1956-1997) och Kenneth Gärdestad (f 1948) skrev sånger tillsammans. Samarbetet kring en enda sång kunde vara långvarigt, ibland upp till en månad. Jag vill ha en egen måne var från början Kenneths. Han hade skrivit såväl text som musik. Men Ted tog över den, behöll refrängen som den var men ändrade versen. Året var 1968 och Ted Gärdestad var då tolv år. 1971 besökte bröderna Gärdestad Stikkan Anderssons skivbolag Polar Records med en demokassett. Dåvarande skivproducenten Benny Andersson lyssnade och blev entusiastisk inför vad han hörde, vilket resulterade i skivkontrakt. Sveriges Television sände ett program om de två bröderna den 3/12 1971 och succén var därefter given. Jag vill ha en egen måne blev Ted Gärdestads första stora hit.

227 Sol, vind och vatten

Under flera decennier skrev bröderna Ted och Kenneth Gärdestad sånger tillsammans. Redan i barnkammaren hade samarbetet påbörjats. Kenneth svarade i allmänhet för texten, Ted för musiken. När låtskrivandet i mer professionell mening tog vid, utgick man oftast från Teds melodier, som han först skrev med engelsk text. Därefter gjorde Kenneth den svenska texten. Att Ted Gärdestad föredrog engelskan hade att göra med att han tyckte det språket låg rätt i mun. Hårda stavelser förkastade han. I stället föredrog han mjuka, vackra ord som samklingade med musiken. Sol, vind och vatten är ett sådant exempel.

Sången återfinns på albumet Ted (1973). Texten genomsyras av ord som associerar till kristen tro. Textens "du" ("det är dig jag tänker på") avser inte en medmänniska utan en högre makt.

försoning – fred, förlikning. I kristen tro går försoningsläran ut på att Jesu gärningar, hans död och uppståndelse innebar ett löfte om mänsklig frälsning

herdarnas hus – för tanken till herdarna för vilken ängeln visade sig vid Jesu födelse

en ledstjärnas ljus – kan associera till stjärnan i öster som bebådade Jesu födelse

Sion – Israel

skuggornas dal – kan förknippas med Psaltartexten om dödsskuggans dal (Psalt. 23:4); skuggornas land är i klassisk litteratur en omskrivning för dödsriket

229 Främling

1983 vann Främling den svenska melodifestivalen. Vid Eurovisionens schlagerfestival i München samma år kom låten på tredje plats. Lanseringen av Främling blev det stora genombrottet för Carola Häggkvist (f 1967, senare gift Sögaard). Hon hade debuterat som trettonåring tre år tidigare i TV i ett minnesprogram om Evert Taube, Taube i våra hjärtan. Med Främling inleddes vad som kallats Carolafebern. Carola blev under 80-talet en av Sveriges mest populara schlagerartister, inte minst bland barn och ungdom, innan hon så småningom alltmer övergick till en kristen vuxenrepertoar i frireligiös anda. För texten och musiken till Främling svarade två av våra mest framgångsrika och produktiva låtskrivare, Monica Forsberg (f 1950) och Lasse Holm (f 1943). Båda har firat triumfer med svensktopplåtar och melodifestivalsvinnare.

Mona Lisa – känd målning av Leonardo da Vinci. Sedan tavlan målades har man funderat över Mona Lisas hemlighetsfulla leende

231 Sommaren är kort

Tomas Ledin (f 1952) debuterade 1971. Efter att 1979 ha rest på turné med ABBA, fick han 1982 en stor hit med Sommaren är kort. Ledin engagerade sig på 80-talet tillsammans med den svenska rockeliten kring appellen Svensk rock mot apartheid och har sedan varit verksam både som driftig skivproducent och framgångsrik artist, bl a i Rocktåget.

233 Pom pom

Magnus Uggla (f 1954) är teaterutbildad rockmusiker som efter hand orienterats åt uttrycksformer där hans satiriska förmåga kunnat få fritt spelrum, något som t ex kommit till uttryck i albumet Välkommen till folkhemmet (1983). En förebild har Magnus Uggla i Karl Gerhard, vars kända kuplett Jazzgossen han spelade in redan 1977.

Han har medverkat i Povel Ramels revy *Knäpp igen!.* 1999 gjorde han rollen som Macheath i *Tiggarens opera* vid Malmö musikteater. Pom pom bär undertiteln Magnus Ugglas fanfar. Texten har Uggla svarat för, musiken har han skrivit tillsammans med Anders Henriksson (f 1945).

umpa bumpa – brukar avse bastubans karakteristiska umpa bumpa-ljud i mässingsorkestern; här associeras umpa bumpa dessutom med discomusikens uppskruvade bas

genre – område, gren

substitut – ersättning

infernaliskt – helvetiskt

bossa nova – stillsam, synkoperad musikform av brasilianskt ursprung

235 Kung av sand

Gyllene tider är ett Halmstadbaserat band med stora framgångar under tidigt 80-tal. Primus motor i bandet var Per Gessle (f 1959), som också skrev gruppens låtar. Övriga medlemmar var Anders Herrlin, Göran Fritzon, Mats Persson och Micke Andersson. Senare under 80-talet bildade Per Gessle Roxette tillsammans med Marie Fredriksson och framgångarna mättes därefter enligt internationella mått. Gyllene tider har emellertid återuppstått emellanåt. Sommarturnén Återtåget '96 blev till ett segertåg för gruppen, som spelade på ett 20-tal orter i riket. På Stockholms stadion samlade man 32 000 entusiaster som sjöng med i klassiker som Sommartider och Kung av sand. En så stor publik är det ingen svensk grupp som tidigare samlat på Stadion.

237 Sommartider

När man tar del av texterna till Per Gessles sommarheta hits som Kung av sand eller Sommartider anar man att det är sommarstaden Halmstad och den vidsträckta stranden vid Tylösand som bildar den geografiska fonden för det skeende som återges i sångerna. Sommartider har blivit något av en signaturlåt för Gyllene Tider.

239 Gå och fiska

Det var inte bara gamla Gyllene Tider-hits som hördes vid bandets återförening 1996. Per Gessles Gå och fiska tillhör nytillskotten på gruppens repertoar. Texten ger uttryck för vardagens slentrian och det angenäma alternativet, att gå och fiska.

241 Banankontakt

Electric Banana Band har sina rötter i ett julmorgonprogram för barn från 1976. Där visade sig Trazan Apansson (Lasse Åberg) och Banarne (Klasse Möllberg) för första gången – ett inslag som blev mycket omtyckt. Electric Banana Band bildades 1980 och då tillkom Janne Zebran Schaffer. Banankontakt av tredje graden är en lekfull anspelning på Steven Spielbergs film *Närkontakt av tredje graden.* Texten är skriven av Lasse Åberg (f 1940), konstnär, filmregissör, skådespelare m m och musiken är av Janne Schaffer (f 1945), elgitarrist med verksamhet inom många skilda musikområden.

244 Min Piraya Maja

I anslutning till att en ny serie TV-program om Trazan och Banarne gjordes 1980 bildades Electric Banana Band. Gruppen fanns med några år, men efter 1984 skulle det dröja till 1997 innan bandets medlemmar med bl a Lasse Trazan Åberg, Klasse Banarne Möllberg och Janne Zebran Schaffer återförenades. Det skedde vid den årliga Hultfredsfestivalen. Entusiasmen från de 15 000 åskådarna var överväldigande, och mottagandet resulterade i en sommarturné 1998 som drog en publik på sammanlagt 250 000 personer. Samma år kom albumet *Electric Banana Tajm,* som sålde bra och snabbt passerade strecket för platina, dvs 80 000 sålda exemplar. På skivan återfinns Jag älskar Maja piraya. Lasse Åberg har skrivit texten till Janne Schaffers musik.

piraya – sötvattensfisk i tropiska Sydamerika med kraftiga käkar och vassa tänder

Peru – land i Sydamerika

Biscaya – Biscayabukten, belägen utanför Frankrikes västra kust

pumsar – somnar

247 Zwampen

Zwampen är förmodligen Electric Banana Bands mest populära sång. Textens blandning av nonsens och miljöprotest har tilltalat både barn och vuxna. Lasse Åberg, textens upphovsman, har i en intervju framfört tanken att de som hörde sången som barn nu själva är småbarnsföräldrar. I Electric Banana Bands publik finns nämligen folk av skiftande kategorier och ålder. Gitarristen Janne Schaffer är musikens upphovsman.

248 Ett rött litet hjärta

Monica Forsberg (f 1950), Kerstin Andeby (f 1952) och Peter Wanngren (f 1952) har samarbetat i olika barnmusikprojekt. Ett rött litet hjärta tillkom på uppdrag av Disneyförlaget. Texten publicerades i boken *Vi målar med sång* som åtföljdes av en musikkassett. I *Vi målar med sång* är varje färg knuten till en bestämd visa. Sången ingår i cd-serien *Älskade barnvisor,* där den sjungs av Monica Forsberg.

Litteratur

Svenskt visarkiv (SVA) i Stockholm är centrum för vis- och folkmusikforskningen i Sverige. Där finns landets förnämsta samling av material och litteratur rörande svensk vissång och sångtradition samt en samlad expertis av medarbetare som står till forskningens och allmänhetens tjänst med sakkunnig upplysning och vägledning. Svenskt visarkivs verksamhet innefattar också visor för barn. Sedan 1995 utger man en småskriftserie kallad *Noterat*.

Svenska Barnboksinstitutet (SBI) i Stockholm är ett specialbibliotek och informationscentrum för barn- och ungdomslitteratur,vilket också inbegriper barnvisor. Sedan 1977 utger man tidskriften *Barnboken*.

Svensk musik i Stockholm är STIMs informations- och dokumentationscentrum för svensk 1900-talsmusik. Här finns också ett arkiv för populärmusik uppbyggt av intresseföreningen *SKAP* (Svenska kompositörer av populärmusik).

Översiktsverk och uppslagsverk

Barnlitteratur i Sverige. Läsning för barn och barnboksprogram, i urval av Lars Furuland, Örjan Lindberger och Mary Ørvig, 1971
Edström, Vivi och Netterstad, Märta, *Vällingsäck och sunnanvind. Vuxen i barnens värld,* 1987
Flodin, AnnMari, *Sångskatten som socialt minne,* 1998
Ling, Jan, *Svensk folkmusik. Bondens musik i helg och söcken,* 1964
The Motion Picture Guide, ed. Jay Robert Nasch and Stanley Ralph Ross, 1985
Musiken i Sverige. Konstmusik, folkmusik, popuärmusik, red. Leif Jonsson och Hans Åstrand, 1994–
Myggans nöjeslexikon. Ett uppslagsverk om underhållning, huvudred. Uno Myggan Ericson, 1-14, 1989-1993
Netterstad, Märta, *Så sjöng barnen förr,* 1982
Lönnroth, Lars, *Den dubbla scenen. Muntlig diktning från Eddan till Abba,* 1978
Ottoson, Gun, *Alla dessa visor för barn -! Uppslagsbok över 6000 visor i 282 vissamlingar för barn 1927-1996 I-II,* 1997
Sohlmans musiklexikon 1-5, 1975-79
Stybe, Vibeke, *Från Snövit till Snobben. Barnbokens*

ursprung och utveckling, i svensk bearbetning av Lars Furuland och Stefan Mählqvist, 1981
Svensk Filmografi 1897-1989, del 1-8, utg. av Filminstitutet, huvudred. Lars Åhlander, 1986-1997
Svenska barnvisor och barnrim, samlade och ordnade av Johan Nordlander; facsimileutgåva med tillägg, inledning och register av Lars Furuland, utg. av Samfundet för visforskning, 1971
Zetterholm, Finn, *Barnvisan i Sverige,* 1969
von Zweigbergk, Eva, *Barnboken i Sverige 1870-1950,* 1965

Sånger för småfolk

Vi äro musikanter. Sånger och visor för förskolebarn, utg. av Borghild Arnér och Göran Sandén, 1980
Barnens sångbok, sammanställd av Lena Björk-Franzén, 1995
Barnens godnattvisor. Gamla kära barnvisor, i ny skepnad av Per Demervall, 1996
Barnvisor och folklekar, 1984
Bornemark, Gullan, *Gubben i lådan. Visor och lekar,* 1962
Bornemark, Gullan, *Hallå hallå,* 1964
Bornemark, Gullan, *Klang i bygget,* 1997
Egner, Thorbjørn, *Folk och rövare i Kamomilla stad,* 1955
För småfolket. 100 lätta sånger för de första skolåren, samlade och utgivna av Karl Berggren, Otto Friberg och Alice Tegnér, 1933
Klockljung, Mats, "Slitstarka visor från Gullans hand", *Fotnoten* 1991:3
Körling, Felix, *Felix Körlings bästa barnvisor,* 1946
Lilla Sångboken. Visor och sånglekar för barn i förskoleåldern och under de första skolåren, i urval av Bertil Hallin, Håkan Lundström och Sverker Svensson, 1986
Nu ska vi sjunga. Sångbok för de första skolåren, utg. på initiativ av Alice Tegnér, redigerad av Annie Petersson, illustrerad av Elsa Beskow, 1943

Alice Tegnér

Tegnér, Alice, "*Sjung med oss, mamma!*", häfte 1-9, 1892-1934
Broström, Ulla, "Alice Tegnér", i förf:s *Svenska kulturpersoner,* 1993

Dreje, Lars, " Ute blåser sommarvind", *Abrakadabra* 1996:3

Klingberg, Göte, "Alice Tegnérs ´Sjung med oss mamma!´", i förf:s *Folklig vers i svensk barnlitteratur*, 1994

Palmborg, Stina, *Alice Tegnér*, 1950

Reimers, Lennart, *Alice Tegnérs barnvisor*. Skrifter från Musikvetenskapliga institutionen vid Göteborgs universitet 8, 1983

Svensson, Sonja, "Ett konstverk för de små", *Barnboken* 1993:2

Wasling, Lennart, "Historien om Mors lille Olle: en lingonplockare i Dalarna", *Wilhelm von Braunsällskapets årsskrift* 1994

Visor av Alice Tegnér, i urval av Margareta Schildt, 1994

Astrid Lindgren

Hujedamej och andra visor av Astrid Lindgren, 1991

Lindgren, Astrid, *En bunt visor för Pippi, Emil och andra*, 1978

Astrid Lindgren i diktens träd, red. Vivi Edström, 1994

Astrid Lindgren och folkdikten, red. Per Gustavsson, 1996

Astrid Lindgren och sagans makt, red. Vivi Edström, 1997

Bild och text i Astrid Lindgrens värld, utg. av Helene Ehriander och Birger Hedén, Absalon. Skrifter utgivna vid Litteraturvetenskapliga institutionen i Lund, 1997

Duvdrottningen. En bok till Astrid Lindgren, red. Mary Ørvig m fl, 1987

En bok till Astrid Lindgren, red. Mary Ørvig, 1977

Ljunggren, Kerstin, *Läs om Astrid Lindgren*, 1992

Röster om Astrid Lindgren. Från ABF:s seminarium 7 oktober 1995, 1996

Strömstedt, Margareta, *Astrid Lindgren. En levnadsteckning*, 1977

Lennart Hellsing

Hellsing, Lennart, *Krakel Spektakel*, 1952

-*Bananbok*, 1975

-*Här dansar herr Gurka*, 1977

-*Krakel Spektakel-boken*, 1959

- *Summa summarum*, 1950

Först och sist - Lennart Hellsing, red. Marianne Eriksson, Fibben Hald, Susanna Hellsing, Sonja Svensson, med bibliografi av Cecilia Östlund. Skrifter utgivna av Svenska barnboksinstitutet nr 34, 1989

Huldt, Cecilia, "Ekelöf och Hellsing - nonsenspoeter", *Barnboken* 1996:2

Kåreland, Lena, "Lennart Hellsing - utmanare och ifrågasättare", i förf:s *Modernismen i barnkammaren. Barnlitteraturens 40-tal*, 1999

Ljunggren, Kerstin, *Läs om Lennart Hellsing*, 1992

Nilsson, Inger, "Lennart Hellsing", Bibliotekstjänsts

Tala med barnen om.... 1993:3

Westin, Boel, "Sultanen på divanen - det österländska hos Lennart Hellsing", i *Poesi och vetande. Till Kjell Espmark*, 1990

Året runt

Brodin, Knut, *Julens visor*, 1936

Celander, Hilding, *Stjärngossar. Deras visor och julspel*, Nordiska Museets handlingar 38, 1950

Edström, Vivi, "Ute blåser sommarvind - en romantisk vaggvisa", i Edström, Vivi och Netterstad, Märta, *Vällingsäck och sunnanvind. Vuxen i barnens värld*, 1987

Ehrensvärd, Ulla, *Den svenska tomten*, 1979

Hallin, Bertil, *Det visste inte kejsarn om. 18 visor till texter av Britt G Hallqvist*, 1971

Helan går. 150 visor till skålen, samlade och kommenterade av Christina Mattsson, 1989

Holm, Britta, "'Den genomliufliga SommarWisan'. Den blomstertid nu kommer - tema med variationer", *Sumlen* 1990

Holme, Lotta, Ortopedi och poesi. Om ortopeden och poeten Herman Sätherberg", *Tvärsnitt* 1993:2

Julsångboken, 59 melodier i urval och sammanställning av Anne-Marie Körling, 1982

Löfström, Inge, *Julen i tro och tradition*, 1981

Nilsson, Martin P:son, "Kindchen Jesus: Ett bidrag till julklappens historik", *Religionshistoriska studier tillägnade Edvard Lehmann den 19 augusti 1927*, 1927

Ronnås, John, *Våra gemensamma psalmer. Kommentarer till psalmbokens 325 första psalmer*, 1990

von Sydow, C W, "Lucia und Christkindlein", *Zeitschrift für Volkskunde*, 1930

Djur och natur

Andeby, Kerstin, *Majas alfabetssånger*, text/bild av Lena Andersson, arrangemang av Peter Wanngren, 1992

Boldemann, Laci, *Kalle Kulör. Texter av Britt G Hallqvist*, 1970

Brundin, Margareta, "Vita lamm och svarta får. Om den första svenska översättningen av 'Baa, baa, black sheep'", *Strindbergiana*, saml. 3, 1988

Egner, Thorbjørn, *Klas Klättermus och de andra djuren i Hackebackeskogen*, 1954, utvidgad upplaga 1990

Lindström, Ingegerd, *Anna Maria Roos*, 1989

Maliniemi, Irja, "En motivkrets i Topelius vaggvisor", *Historiska och litteraturhistoriska studier* 37, utg. av Svenska Litteratursällskapet i Finland, 1962.

Zetterholm, Finn, "Barnvisan kring sekelskiftet", Edström, Vivi och Netterstad, Märta, *Vällingsäck och sunnanvind. Vuxen i barnens värld,* 1987

Sång med lek och dans

Dencker, Nils, *Sveriges sånglekar,* 1960
Holstrup, Edith och Leander, Ingrid, *Ringlekar,* 1980
Klara färdiga gå!, med text och musik av Kerstin Andeby och Peter Wanngren; övrig text av Mimmi Johansson-Alburg, Gun Ståhl och Kajsa Olsson, 1994
Mallander, Inez, *Sånglekar och sångdanser,* 1955
Presto, Nils, *Dansa i en ring,* 1977
Smedlund, Gert-Ove och Walter, Leif, *Mora Träsk. Sånglekbok,* 1988
Svenska sånglekar, utg. av Svenska Ungdomsringen för Bygdekultur,1951
Sånglekar från Nääs I–II, 1905 resp. 1915
Tillhagen, Carl-Herman och Dencker, Nils, *Svenska folklekar och danser II,* 1950
Thorbjörnsson, Hans, *Slöjd och lek på Nääs. En bildkrönika om ett kulturarv,* 1992
Wieslander, Jujja och Tomas, *Lång stång sång. Vardagsgruppens visor,* 1984

Hemma i världen

Danielsson, Eva, "I en sal på lasarettet", i *Visan vi inte minns,* en sammanställning av Christina Mattsson och Håkan Norlén, 1980
Disneysångboken, 1993
Fredholm, Inga-Britt, *Kom i min famn,* 1972
Fredholm, Inga-Britt, *När jag var en ung caballero,* 1970
Hallin, Bertil, *Titta vad jag fann!* Visor av Britt G Hallqvist och Bertil Hallin, 1967
Holm, Britta, " 'Hävd - och förnyelse'. En studie i Olle Adolphsons viskonst", *Sumlen* 1986
Lönnroth, Lars, *Den dubbla scenen. Muntlig diktning från Eddan till Abba,* 1978
Svensson, Georg, *Evert Taube. Poet, musikant, artist,* 1976
Taube, Evert, "Ofullbordade variationer på Pepitatemat", i *Inte bara visor. Evert Taube-sällskapet Årsskrift 1982*
Taube, Evert, *I najadernas gränd,* 1954
Taube, Evert, *Jag kommer av ett brusand' hav. Barndomsminnen från Vinga och Göteborg på Oscar II:s tid,* 1952

Gladsång och poplåt

Carlsson, Ulf, *Cornelis Vreeswijk. Artist - vispoet - lyriker,* 1996
Fridholm, Rolf, *Polarn Cornelis,* 1989
Lasse Berghagens bästa, sammanställd av Göran Rygert, 1995
Minipop 1-2. Hundra populära sånger att sjunga, spela och kompa, red. Ingemar Hahne m fl, 1992-1993
Olofsson, Hans, *Stora popboken. Svensk rock & pop 1954-1969,* 1995
Pop 70-, 1979-
Popkorn, utg. av Tim Norell och Ulf Wahlberg, 1979
Svensktoppshits, utg. av Kent Finell, 1993
Vispop 1- , 1978-
Vreeswijk, Cornelis, *Osjungna sånger,* 1992
Vreeswijk, Cornelis, *Sånger,* red. Jan Erik Vold, 1988

Övriga sångsamlingar

Brodin, Knut, *De bästa barnvisorna,* 1954
Barnvisor och sånglekar, utg. av Katarina Gren och Birger Nilsson, 1984
Engström, Bengt Olof, *Vi gör musik i årskurs 1 och 2. Lärobok i musik för grundskolans lågstadium,* 1975
Engström, Bengt Olof, *Vi gör musik i årskurs 3. Lärobok i musik för grundskolans lågstadium,* 1978
Engström, Bengt Olof, *Vi gör musik i årskurs 4-6. Lärobok i musik för grundskolans mellanstadium,* 1985
Elefantboken, i urval och med kommentarer av Katarina Gren och Birger Nilsson, 1994
Ett, två, tre. Visor för lågstadiet, utg. av Olle Widestrand, 1973
Gröna visboken, utg. av Tage Nilsson och Klas Ralf, 1949
Gula visboken, utg. av Tage Nilsson och Klas Ralf, 1953
Johansson, Eva, *Sjunga gunga. Idébok från musikhandledarna,* 1987
Hålligångsång. 106 visor för sång- och leksuget småfolk, utg. av Olle Widestrand, 1987
Kom hör min vackra visa. Äldre skolsånger, i urval av Lennart Kjellgren, 1984
Kom så sjunger vi!, sammanställd av Lena Björk-Franzén, 1996
Lilla sångboken. Visor och sånglekar för barn i förskoleåldern och under de första skolåren, i urval av Bertil Hallin, Håkan Lundström och Sverker Svensson, 1992
Låtar som tänder, sammanställd av Katarina Gren och Birger Nilsson, 1987
Låteri, låtera, utg. av Olle Widestrand, 1985
Melodi. Sångbok, utg. av Svenska folkhögskolans lärarförening, 1963

Musik i ettan, utg. av Nils Otto Bengtsson, Inge Lind-
holm och Axel Melander, 1976

Musik i fyran, utg. av Nils Otto Bengtsson, Inge Lind-
holm och Axel. Melander,1979

Musik i trean, utg. av Nils Otto Bengtsson, Inge Lind-
holm och Axel. Melander, 1978

Musik i tvåan, utg. av Nils Otto Bengtsson, Inge Lind-
holm och Axel. Melander, 1977

Musikskatten, i urval och med kommentarer av Katarina
Gren och Birger Nilsson, 1997

Musikskatten. Tips och idébok, av Katarina Gren och
Birger Nilsson, 1998

Numusik 1-3, utg. av Yngve Härén, Thord Gummesson
och Lennart Hellsing, 1973-78

Sjung med i skolan, utg. av Olle Widestrand, 1981

Smått å gott. Visor för hem och skola. Utgivare: Olle
Widestrand, 1981

*Sångboken. Vår gemensamma sångskatt. Visor, sånglekar
och danser fram till 1950*, i urval av Bertil Hallin,

Håkan Lundström och Sverker Svensson, 1984

*Sångeri. Skolsånger. Ett fyrverkeri av gamla och nya sång-
er*, utg. av Kjell Lönnå, 1987

Sånggåvan, utg. av Lena Borgljung och Göran Swedrup,
1989

Sångskatten utg. av Lena Borgljung, 1994

60 nya och gamla barnvisor, i urval av Lil Yunkers, 1976

60 skillingtryck, i urval av Sven Egnell och Lill Yunkers,
1982

60 visor från 60-talet, i urval av Sid Jansson, 1976

Widestrand, Olle, *Gnola på en visa*, 1983

Widestrand, Olle, *Sång på gång*, 1983

Winqvist, Mats, *För små och stora öron*, 1979

Visboken (Min nya skattkammare), huvudred. Harriet
Alfons, 1980

Våra skolsånger, huvudred. Lennart Reimers, 1992

Våra visor 1-3, utg. av Yngve Härén, Lennart Hellsing
och Knut Brodin, 1957-1960

Författar- och tonsättarregister

Titel- och förstaradsregister